Robert Charles
14. 10. 86
Brl.

L'INTERPRÉTATION
DE LA BIBLE
DES ORIGINES CHRÉTIENNES
A NOS JOURS

ROBERT M. GRANT

L'INTERPRÉTATION DE LA BIBLE DES ORIGINES CHRÉTIENNES A NOS JOURS

TRADUIT DE L'ANGLAIS
PAR JEANNE HENRI MARROU

ÉDITIONS DU SEUIL
27, rue Jacob, Paris VI

INTRODUCTION

L'histoire de la Bible dans l'Église est longue et complexe. Tout le long des siècles chrétiens bien des méthodes ont été appliquées à l'interprétation de ce témoignage de la révélation divine. C'est qu'en effet l'interprétation de l'Écriture est le lien essentiel qui rattache la vie et la pensée de l'Église en marche à travers le temps aux documents qui renferment ses traditions les plus anciennes. Dans le passé on a souvent jugé nécessaire de justifier chaque dogme de l'Église par une référence explicite ou implicite à l'Écriture. Et cependant les textes de la Bible ont été normalement écrits dans des circonstances très particulières pour répondre à des besoins particuliers. La signification universelle et permanente de maints passages des Écritures ne semble pas avoir été expressément voulue par leurs auteurs. D'un autre côté lorsqu'on considère l'Écriture comme la source unique des dogmes et qu'en même temps les besoins de la situation contemporaine se révèlent tout à fait différents de ceux du passé lointain, il faut alors absolument trouver une manière de rétablir le contact entre ce livre d'autrefois et la pensée et la vie d'une époque plus récente. Tel est précisément le rôle de l'herméneutique.

On a dit que la tâche de l'interprète serait d'autant plus simple que la vie et la pensée de son temps ressembleraient davantage à celles de l'époque biblique. Mais cette idée ne rend pas assez compte de la diversité qu'on rencontre chez les hagiographes qui, dans des circonstances très variées, ont exprimé leur réponse personnelle et celle de la société dans laquelle ils vivaient à la révélation de Dieu.

7

Certes, les prophètes, les évangélistes et les interprètes ont subi l'influence de leurs milieux respectifs, mais au-delà des diversités de milieu et des variétés dans les réponses auxquelles l'auteur de l'Épître aux Hébreux fait allusion dans sa phrase initiale, il existe à la base une unité établie sur cette présupposition fondamentale : Dieu vit et travaille dans l'histoire, il a élu pour sien un peuple dont il a guidé et guide encore, malgré ses rébellions, la vie et les accomplissements. Si on n'admet pas ce présupposé, au moins comme « hypothèse de travail », l'interprétation de la Bible est impossible. Les Gnostiques par exemple affirmaient avec force qu'une différence profonde et même une opposition radicale séparaient celui qu'ils considéraient comme le vrai Dieu du Dieu de l'Ancien Testament. C'est pourquoi ils ne pouvaient guère comprendre la révélation du Dieu que Jésus appelait son Père. Et lorsque les théologiens alexandrins ont voulu démontrer avec une excessive insistance l'impassibilité de Dieu, ils en ont été réduits à rejeter comme allégoriques les passages des deux Testaments d'où il ressortait clairement que Dieu n'est pas impassible, appliquant de la sorte une méthode défectueuse d'exégèse au service d'une théologie erronée.

Nous nous proposons d'étudier les principales méthodes qu'ont employées les chrétiens dans l'interprétation de l'Écriture, et les circonstances qui les ont conduits à les employer. En outre nous exposerons brièvement le processus d'élaboration de ces méthodes et les voies par lesquelles elles ont pénétré dans l'Église. Tantôt les chrétiens les ont empruntées à d'autres sources sans y rien changer, tantôt ils les ont empruntées mais modifiées, d'autres fois enfin ils en ont conçu d'autres, presque entièrement originales. Nous insisterons tout particulièrement sur le début de la vie de l'Église, sur ses siècles de formation, car on y découvre déjà à l'état de germes les racines de presque tous ses développements ultérieurs, et les interprètes postérieurs ont souvent proclamé qu'ils ne faisaient que revenir aux méthodes de l'Église primitive. Nous ne tenterons pas d'appliquer nos recherches à toute l'étendue de l'histoire de l'Église : nous nous limiterons à celles de ses périodes où l'interprétation de l'Écriture a connu des développements neufs et particulièrement significatifs. Pour des travaux plus détaillés et plus complets on se référera à la bibliographie présentée à la fin de ce volume.

Ce travail est donc en partie une esquisse historique de l'*herméneutique,* cette méthodologie de l'interprétation. Mais étant donné que le terme d'herméneutique semble bien être resté étranger au langage courant nous l'avons remplacé par le mot plus général d'*interprétation.* L'interprétation de tout document écrit issu de la pensée humaine a pour objet de traduire ce qu'a voulu exprimer son auteur selon les normes de notre propre forme de pensée. On peut, bien sûr, essayer de repenser la pensée d'un autre, mais en dernière analyse c'est à notre propre esprit de choisir comment rendre cette pensée. Toute interprétation associe nécessairement subjectivité et objectivité.

On fait parfois une distinction entre interprétation et exégèse. L'interprétation désigne alors la tâche du théologien tandis que l'exégèse relève de l'historien qui explique l'ensemble des données bibliques, théologiques ou non, et met le résultat de ses recherches à la disposition du théologien. La présente étude négligera le plus souvent cette distinction et nous emploierons les deux termes comme équivalents. La suite de l'exposé montrera très clairement pourquoi, en particulier lorsqu'il abordera la discussion de la Réforme.

L'époque moderne a vu surgir un nouveau problème pour l'exégète. De même que, dans la pensée rabbinique, la Thorah était considérée comme le bien propre d'Israël, de même la pensée chrétienne des premiers siècles tenait pour évident que les Livres saints avaient été révélés par Dieu à son Église. En dehors d'elle on pouvait les lire mais non les comprendre. Ainsi Paul par exemple pense que l'interprétation de l'Écriture n'est possible que par un charisme de l'Esprit Saint. La littérature chrétienne ultérieure a développé avec plus de précision encore cette théorie de la Bible conçue comme le livre de l'Église. C'est seulement à l'intérieur de la tradition authentique de l'Église du Christ (comme parmi les rabbins les successeurs authentiques de Moïse) que le livre sacré pouvait être interprété. Ceux du dehors — exception faite de quelques-uns comme le pseudo-Longin — n'ont étudié l'Écriture que pour attaquer ses défenseurs. Les choses ont changé à la Renaissance avec la diffusion et la sécularisation du savoir. Lorenzo Valla appliquait à l'étude de la Bible le même esprit critique qu'à la Donation de Constantin. John Colet passait de l'étude de la littérature grecque à celle de l'Épître aux Romains. Des philosophes comme Hobbes et Spinoza frayaient la voie au déisme du XVIIIe siècle. La Réforme n'a pas été seule responsable de l'essor des études sur la Bible à l'époque moderne, bien qu'elle ait certainement contribué à développer l'intérêt porté aux questions concernant son interprétation. La critique biblique a atteint son point culminant en Allemagne au XIXe siècle. C'est quand l'essor de la philologie classique a eu rendu possible la compréhension historique des autres œuvres de l'Antiquité qu'on a tenté de comprendre la Bible, elle aussi, d'un point de vue historique. Cette approche historique est toujours pratiquée et pose un problème permanent à ceux qui cherchent à édifier une théologie moderne fondée sur les bases de la critique biblique, mais les plus chauds partisans de celle-ci s'expriment avec une rigidité à laquelle même les théologiens scolastiques n'atteignent pas, soulevant ainsi des suspicions non seulement parmi les simples croyants mais jusque chez les théologiens méfiants à son égard.

Pourtant à notre époque aucun texte antique ne saurait échapper à l'explication historique et il nous est impossible de ne pas tenir compte des siècles de recherche qui nous ont précédés dans ce domaine. La tâche qui nous incombe aujourd'hui est de réexaminer les méthodes de l'interprétation biblique et d'en vérifier la valeur. On entend souvent affirmer que la méthode historique est le seul moyen qu'on puisse employer pour interpréter la Bible. Mais d'autres soutiennent de leur côté que la méthode historique conduit au dilettantisme ou au relativisme historiques. A mon avis, comme on le verra dans le dernier chapitre de ce livre, ces deux opinions sont également valides. Les hommes d'aujourd'hui ne peuvent éviter de penser historiquement mais on comprend souvent bien mal ce que cela implique. Cela ne veut pas dire que nous devions nous efforcer de penser à la façon d'avant Jésus-Christ quand il s'agit de l'Ancien Testament ni que, s'il s'agit des Évangiles, nous prétendions nous placer au moment où l'Église n'était pas encore née. Une vraie méthode scientifique au contraire oblige à prendre en considération la totalité de la documentation historique, dans laquelle entrent nécessairement les raisons pour lesquelles nos documents ont été écrits, conservés et transmis. En outre l'étude des documents nécessite ce que Dilthey a appelé « l'affinité intérieure et la sympathie [1] ». Nous devons dialoguer avec les documents et les auteurs qu'ils nous font connaître, et non pas seulement les juger de haut.

Il reste vrai que la vraie place de la Bible est à l'intérieur de l'Église. L'Église a existé avant l'Écriture, elle est le cadre de celle-ci ; l'Église et l'Écriture témoignent toutes les deux du Christ mais l'Église est venue la première et l'Écriture a été élaborée dans l'Église, pour les besoins des membres de ce corps. Ceux qui, ne faisant pas partie de la communauté croyante, interprètent néanmoins l'Écriture, ne peuvent le faire pleinement car ils sont en quelque sorte en porte à faux. Je ne veux pas parler ici d'un don du Saint-Esprit, encore qu'on ne puisse nier la nécessité d'un tel don, mais simplement de l'atmosphère de pensée nécessaire pour comprendre l'Écriture avec sympathie et en pénétrer le génie propre.

D'autre part quiconque choisit de s'adonner à des recherches scripturaires doit conserver assez de liberté d'esprit pour ne pas se laisser influencer à tort par des considérations dogmatiques, en un mot il doit être non seulement un homme engagé dans l'Église mais un savant indépendant, faute de quoi comment pourrait-il espérer comprendre la Bible et faire admettre ses conclusions à ses contemporains ? Dans une époque divisée comme la nôtre il est plus difficile qu'autrefois de répondre à ces exigences. C'est là un problème d'équilibre. Maintenir l'équilibre entre ces deux exigences qui font appel également à la loyauté de l'interprète, voilà qui est plus fécond que de résoudre l'une après l'autre telle ou telle difficulté.

L'interprète doit se sentir responsable non seulement envers la vérité telle qu'il la voit (et qui, bien sûr, n'est jamais comme quelqu'un d'autre aimerait qu'il l'ait vue), mais aussi envers la communauté chrétienne dans laquelle il a sa place parmi la succession des croyants. L'homme est non seulement un animal raisonnable mais aussi un être religieux et l'équilibre sera toujours difficile à maintenir entre le mystère qu'il révère et la vérité concernant ce mystère qu'il cherche à élucider.

Tout interprète de l'Écriture doit aussi se rendre compte que, comme chaque chrétien, il a sa place à la fois au sein de sa communauté, l'Église, et aussi dans cette autre qu'est le monde extérieur. Ce qu'il lit dans sa Bible est essentiellement l'histoire d'un petit groupe enseigné de l'intérieur par quelqu'un d'intérieur à celui-ci, mais il existe aussi une histoire extérieure, et les deux se recoupent. S'il se consacre uniquement à l'histoire intérieure, son interprétation sera mythologique, irrationnelle, bigote ; s'il ne connaît que l'histoire du monde extérieur, son mythe se dissoudra dans la banalité, il perdra toute idée de l'action de Dieu dans le monde et tombera dans l'histoire dite « scientifique ». Mais il faut les deux réunies pour replacer l'Église dans le village et le village dans le monde. Les deux éléments réunis rendent possible une théologie acceptable pour l'homme moderne. Les deux sont nécessaires pour décrire le mystère de Celui qui s'est fait chair.

I

JÉSUS ET L'ANCIEN TESTAMENT

Il est assez naturel que l'interprétation chrétienne de la Bible commence avec Jésus. Ce fait semblerait suffisamment évident pour n'avoir pas besoin d'être mentionné, n'était l'opinion soutenue par nombre de critiques modernes, selon laquelle Jésus a dû se conformer totalement à ce qu'ils appellent le Judaïsme « normatif ». Ils en viennent ainsi à conclure que Jésus a dû interpréter l'Ancien Testament, Bible du Judaïsme, exactement comme l'aurait fait n'importe quel autre exégète juif de son temps. Il n'y aurait donc aucune nouveauté dans son message, dans la mesure du moins où il est une interprétation de l'Ancien Testament, et comme en fait une bonne partie de ce message se présente comme une théologie fondée sur l'Ancien Testament, il ne pourrait guère y avoir d'innovations dans les méthodes d'interprétation qu'il a employées.

Pourtant on lit quelque part dans le traité *Sanhédrin* du Talmud de Babylone une parole qui devrait mettre un frein à ces critiques : « Celui qui dit : " La Thorah n'est pas de Dieu " ou même seulement : " Toute la Thorah est de Dieu à l'exception de tel ou tel verset qui n'est pas de Dieu mais de la propre bouche de Moïse ", que cette âme soit extirpée [1]. » Selon la pensée juive chacun des mots de l'Écriture avait été proféré par Dieu. L'inspiration ni l'authenticité n'en pouvaient être mises en question. Et le seul fait pour quelqu'un d'en poser une suffisait à le faire considérer désormais comme étranger à la sainte communauté d'Israël. Telle est la position du « Judaïsme normatif ». Jésus, pour sa part, trouve une nette différence entre les mots par lesquels Dieu a uni

13

Adam et Eve en un mariage indissoluble et ceux avec lesquels Moïse, composant avec la dureté de cœur du peuple juif, a autorisé le divorce (Mc 10, 2 sq). C'est là une opinion qui aurait paru intolérable au « Judaïsme normatif » au temps de Jésus et au-delà.

Il est clair que, bien qu'il soit Juif et que sa prédication s'adresse au premier chef à son propre peuple et s'exprime selon les formes de pensée de celui-ci, Jésus n'hésite pas à dépasser le Judaïsme et à opérer une distinction entre diverses parties de l'Écriture selon que Dieu s'y est plus ou moins pleinement révélé. C'est cette distinction qui est sous-jacente à tous les développements ultérieurs de la théorie chrétienne de l'interprétation. Pourtant il ne faudrait pas trop insister sur la différence qui sépare Jésus de ses contemporains. Les ressemblances ne sont pas moins significatives.

Pour Jésus comme pour les Juifs de son temps autorité et inspiration caractérisent l'Écriture. A ses adversaires, qu'ils soient hommes ou sataniques, il peut donc citer l'Écriture et dire : « Il est écrit que... » (Mc 11, 17 ; Mt 4, 4 ; Lc 4, 4 ; etc.). Il peut leur demander : « N'avez-vous pas lu ? » (Mc 2, 25) et peut souligner l'origine divine de cette inspiration en disant : « David lui-même a dit par l'Esprit Saint que... » (Mc 12, 36). C'est là un passage particulièrement intéressant car à la même époque on retrouve dans les écrits de Philon d'Alexandrie ce concept de l'auteur inspiré, instrument de Dieu. Le Saint-Esprit de Dieu se sert de lui comme d'une flûte et souffle à travers lui. Jésus ne voit pas cela de façon aussi mécanique. Bien sûr le Saint-Esprit inspire David, mais c'est David qui parle, et dans le passage où Jésus discute la légitimité du divorce autorisé par Moïse, il met également l'accent sur le côté humain de l'inspiration.

Comme ses contemporains Jésus considère Moïse comme l'auteur du Pentateuque et David comme celui des Psaumes. Il n'a rien d'un critique littéraire ou historique et il serait proprement incroyable que la tradition ait rapporté sur son compte le moindre signe d'intérêt pour ces questions. Jésus considère comme réels les événements racontés par l'Ancien Testament. Dieu a créé l'homme mâle et femelle (Mc 10, 6), Abel a été assassiné (Mt 23, 35 ; Lc 11, 51, etc.). Et ces faits sont plus que des événements historiques : ils sont en rapport direct avec l'époque où Jésus vit. Lorsque David eut faim il mangea les pains de proposition, donc les règles du culte doivent être subordonnées aux nécessités humaines, le Sabbat a été fait pour l'homme (Mc 2, 25 sq).

Lorsqu'il en appelle ainsi du sens littéral et légaliste de l'Écriture à sa signification religieuse profonde, Jésus balaie la poussière accumulée par la tradition, il enseigne « en homme qui a l'autorité, et non pas comme les scribes » (Mc 1, 22). Nous ne sommes donc pas surpris de le voir attaquer les exégètes autorisés de son époque lorsqu'il dit ironiquement : « Vous annulez bel et bien le commandement de Dieu pour observer votre tradition » (Mc 7, 9).

Dans sa manière de présenter l'Écriture, Jésus mettait l'accent sur les passages d'une importance religieuse vitale par contraste avec les prescriptions rituelles de moindre valeur. Son attitude à l'égard du Sabbat et des exigences légalistes concernant la purification (Mc 7, 1 sq) illustre bien cette insistance et on peut même montrer qu'il citait des passages précis de l'Écriture pour étayer son point de vue : il trouve dans Osée (6, 6) cette phrase : « C'est la miséricorde que je désire et non le sacrifice » (Mt 9, 13 ; 12, 7), ou encore emprunte à Isaïe (29, 13) une description de ses adversaires : « Ce peuple m'honore des lèvres mais leur cœur est loin de moi, vain est le culte qu'ils me rendent, les doctrines qu'ils enseignent ne sont que préceptes humains » (Mc 7, 6 sq). Enfin il trouve prédit dans Isaïe (56, 7) et Jérémie (7, 11) : « Ma maison sera appelée une maison de prière pour toutes les nations et vous en avez fait un repaire de brigands » (Mc 11, 17). Cette réinterprétation de la religion par les prophètes est très voisine de celle qu'en fait Jésus lui-même. Et lorsqu'il veut condenser en une seule phrase le sens de toute la Loi de l'Ancien Testament, il se sert d'un passage du Deutéronome, le « Shema » que tout Israélite récitait chaque jour : « Écoute Israël, le Seigneur notre Dieu est l'unique Seigneur et tu aimeras le Seigneur ton Dieu » (Mc 12, 29). Il ajoute à ce passage l'autre « loi d'amour » emprun-

15

tée au Code de Sainteté du Lévitique : « Tu aimeras ton prochain comme toi-même » (Mc 12, 31). Cette parole de Jésus est claire et nette : « Il n'y a pas de commandement plus grand que ceux-là. » L'évangéliste Matthieu ne fait que la transposer légèrement lorsqu'il dit : « A ces deux commandements se rattachent la loi ainsi que les prophètes » (Mt 2, 40).

Sans doute la présentation systématique du Sermon sur la Montagne doit-elle beaucoup à Matthieu[2]. La succession d'antithèses qui se déroule sous la forme : « Vous avez appris... mais moi je vous dis... » n'offre pas une cohésion aussi étroite que Matthieu voudrait le faire croire, mais le passage pris dans son ensemble (Mt 5, 21-48) reflète exactement l'attitude de Jésus en face des parties légalistes de l'Ancien Testament. Il apparaît comme un maître d'une haute indépendance qu'on pourrait même très exactement appeler non-conformisme. Pourtant il ne rejette pas la Loi, il l'approfondit, la renforce, l'élève tout entière à la hauteur où il se place. On a dit quelquefois que l'expression : « Vous avez appris... mais moi je vous dis... » est caractéristique de l'exégèse juive, mais les exemples cités ne sont pas très convaincants[3]. Cette expression est beaucoup plus caractéristique de Jésus lui-même, de son enseignement qui porte la marque de son autorité personnelle. Et son exégèse diffère beaucoup plus de celle de ses contemporains qu'elle ne leur ressemble.

Nous n'avons pas encore signalé combien l'interprétation que Jésus donne de l'Ancien Testament est personnalisée. Jésus ne se borne pas à proclamer que le Royaume de Dieu est proche et même en quelque sorte déjà présent, il proclame que c'est là l'accomplissement des prédictions des grands prophètes : « Les temps sont accomplis et le Royaume de Dieu est tout proche » (Mc 1, 15). Ce n'est pas là une connaissance ésotérique. Ce n'est pas un mystère connu seulement de Jésus et de ses disciples. « Pourquoi les scribes disent-ils qu'Élie doit venir d'abord ? Oui, Élie doit venir d'abord et tout remettre en ordre. Et cependant comment est-il écrit du Fils de l'Homme qu'il doit beaucoup souffrir et être méprisé ? » (Mc 9, 11 sq). Dans ce passage Jésus souligne qu'il connaît aussi bien que les scribes cet Élie qui, selon eux, doit précéder le Royaume de Dieu. Mais ce que les scribes ne parviennent pas à comprendre c'est cette figure d'homme souffrant. Ils ne peuvent pas croire que le chapitre 53 d'Isaïe puisse s'appliquer à une personne plutôt qu'à la nation. Et il est bien vrai que l'exégèse juive du chapitre 53 d'Isaïe n'a jamais donné un sens messianique aux passages relatifs à la souffrance et à la déréliction[4]. C'est là que l'interprétation donnée par Jésus se révèle unique. Il dépasse le Judaïsme de son temps en même temps qu'il interprète les prophéties de l'Ancien Testament en référence à sa prédication et à sa personne. On voit nettement par un autre passage (Mt 11, 5 ; Lc 7, 22), que Jésus considérait ses « signes », ses miracles, comme des accomplissements de la prophétie d'Isaïe. Et à la fin de sa vie, lors de la Cène dans la chambre haute, il a conclu avec ses disciples une nouvelle alliance qui accomplissait la prophétie de Jérémie (Mc 14, 24). Qu'on ait ou non le droit de considérer certains de ces passages comme inspirés moins par un souvenir historique de Jésus que par les préoccupations théologiques de l'Église primitive, l'idée n'en est pas moins solidement enracinée dans la tradition qu'il considérait la prophétie comme en quelque sorte réalisée en sa personne.

Une telle interprétation de l'Écriture répugnait au plus haut point aux contemporains de Jésus. Son interprétation de Daniel (7, 13) comme s'appliquant à lui-même fut — si on peut s'appuyer sur le récit quelque peu confus de sa comparution devant les autorités — qualifiée de « blasphème » par le grand prêtre (Mc 14, 64). Et sa liberté d'attitude à l'égard de la Loi le fit accuser de s'être donné mission de la détruire (Mt 5, 17). Pourtant on trouve non seulement dans l'Évangile encore judaïsant de Matthieu, mais aussi dans celui de Luc qui, lui, venait de la gentilité, certains passages dans lesquels on voit Jésus soutenir une doctrine de l'Écriture aussi rigoureuse que celle des rabbins ses contemporains. « Toute Écriture est inspirée de Dieu et utile pour enseigner » (II Tm 3, 16). Voilà la doctrine juive. Elle se reflète dans Matthieu (5, 18), (Lc 16, 17) : « Avant que ne passent le ciel et la terre, par un

17

2

yodh — la plus petite lettre de l'alphabet hébreu —, ni la moindre corne d'une lettre ne passera de la loi », et même le moindre des préceptes de la Loi ne saurait être violé (Mt 5, 19). Et, conformément à cette doctrine, Jésus ordonne à un lépreux qu'il vient de guérir d'aller se montrer au prêtre et de faire l'offrande prescrite par Moïse (Mc 1, 44).

Cette attitude paradoxale de Jésus à l'égard des Écritures est en partie due à la manière dont ses paroles ont été gardées dans la mémoire de certains groupes conservateurs en milieu judéo-chrétien [5], mais bien davantage à sa double attitude à l'égard de l'Ancien Testament. La Loi en elle-même est ce que Paul devait qualifier de « sainte » ; le précepte qui est « saint... et juste et bon » (Rm 7, 12). Mais d'autre part « l'amour est la Loi dans sa plénitude » (Rm 13, 10). De plus l'histoire sainte de l'Ancien Testament a un sens non seulement en elle-même mais aussi par rapport à la réalité supérieure qu'il annonçait (Mt 12, 38 sq ; Lc 11, 29 sq). « Vous avez entendu qu'il a été dit aux anciens » — et pour eux, pour leur temps, c'était là la parole de Dieu — : « Mais moi je dis » — moi, qui parle avec toute l'autorité des prophètes et plus encore.

La tradition ancienne et l'apport de plus d'un siècle d'études critiques ont conclu qu'il est impossible de considérer l'Évangile de Jean comme un écho direct des paroles de Jésus lui-même. Certes les idées exprimées dans cet Évangile proviennent souvent d'une tradition qui nous a conservé la pensée authentique de Jésus, mais elles ont été comme transposées dans un autre ton par ceux qui transmettaient cette tradition. Elles représentent non pas tant ce que Jésus a enseigné que ce que l'Église enseignait en son nom. C'est l'Esprit de Vérité envoyé par lui qui interprète Jésus pour une nouvelle génération (Jn 16, 13 sq). Pourtant l'attitude du Jésus johannique à l'égard de l'Ancien Testament est très proche de celle que rapporte la tradition synoptique. Comme tous ses contemporains dans le Judaïsme il sait que Moïse a donné la Loi (Jn 10, 35). Néanmoins son attitude à l'égard de l'Écriture est ambiguë. Tout dans la Loi n'est pas sur le même plan. Dans la Loi il n'y a pas seulement le Sabbat mais aussi la circoncision, et celle-ci l'emporte sur le Sabbat (Jn 7, 22). C'est pourquoi on peut opérer des guérisons même le jour du Sabbat. Il y a une voie plus haute que le simple légalisme. En outre les Juifs scrutent les Écritures parce qu'ils pensent atteindre par là la vie éternelle. Ces mêmes Écritures contiennent un élément de prophétie qui porte témoignage de Jésus lui-même (Jn 5, 39) et c'est là qu'est leur véritable et ultime signification. Les Juifs qui ne reconnaissent pas Jésus sont sans excuse car Moïse lui-même leur a montré la voie : « Si vous croyiez en Moïse vous me croiriez aussi car c'est de moi qu'il a écrit. Mais si vous ne croyez pas ses écrits, comment croirez-vous mes paroles ? (Jn 5, 46 sq). Quand Jésus dit : « Votre » Loi (Jn 8, 17 ; 10, 34), c'est de la Loi séparée de son interprétation prophétique qu'il parle, c'est la loi prise dans sa littéralité et que l'absence de l'Esprit empêche de comprendre.

Sur cette question du sens véritable de la Loi nous nous approchons fort, comme on le verra plus loin, de la pensée de Paul telle qu'il l'a exprimée dans la IIᵉ Épître aux Corinthiens, et Jean n'était probablement pas exempt de vues analogues à celles de son grand prédécesseur l'apôtre des gentils. Il nous faut cependant éviter les distinctions trop formelles et les analyses trop subtiles. Jésus et Paul ne diffèrent pas dans leur attitude sur la question de l'Ancien Testament. C'est une voie sans issue que celle qui conduirait à établir une antithèse radicale entre un Jésus totalement Juif et un Paul purement grec. Tous deux ont affronté la question finale du sens de l'Ancien Testament pour le nouvel Israël de Dieu, et leurs réponses n'ont pas été différentes.

Une dernière question se pose à notre attention : celle des rapports de cette nouvelle manière de comprendre l'Ancien Testament avec l'exégèse rabbinique de l'époque. Choisissons-en un exemple dans lequel, par la forme et par le fond, l'interprétation de Jésus est voisine de celle de ses contemporains. « Vous avez entendu qu'il a été dit aux anciens : " Tu ne te parjureras pas mais tu t'acquitteras envers le Seigneur de tes serments " (Lv 19, 12 ; Ex 20, 7 ; Nb 30, 3). Eh bien, moi, je vous le dis de ne pas jurer du tout : ni par le ciel car il est le trône de Dieu, ni par la terre car c'est l'escabeau de ses pieds (Is 66, 1), ni par Jérusalem car c'est la ville du grand roi (Ps 48, 2). Ne jure pas non plus par ta tête car tu ne peux en rendre un seul cheveu blanc ou noir (Mt 5, 36). » Le contenu d'une telle exégèse est juif, on peut le comparer à Qo 23, 9 : « N'accoutume pas ta bouche à faire des serments, ne prends pas l'habitude de prononcer le nom du Très-Haut. » La forme aussi est juive, c'est ce que les rabbins appellent *Halakah,* du verbe *halak* qui signifie marcher, au sens de suivre un certain genre de vie.

Un autre exemple typiquement juif de l'enseignement de Jésus se trouve dans Marc (12, 26 sq) : « Quant au fait que les morts ressuscitent, n'avez-vous pas lu dans le Livre de Moïse, au passage du Buisson, cette parole que Dieu lui a dite : « Je suis le Dieu d'Abraham, le Dieu d'Isaac et le Dieu de Jacob ? (Ex 3, 6). Il n'est pas un Dieu de morts mais de vivants. » Selon Luc (20, 39) un des scribes dit : « Maître, tu as bien parlé. » Cette réponse est un bon exemple du genre appelé *Haggada,* une interprétation à la fois théologique et légendaire dont un exemple très analogue se rencontre dans le chapitre I, 4 des Macchabées. Elle illustre la déclaration du plus ancien midrash sur le Deutéronome : « Ceux qui cherchent les signes contenus dans l'Écriture disent : « Si vous voulez connaître le Créateur du monde, étudiez la *Haggada,* par elle vous apprendrez à connaître Dieu et à rester attaché à ses voies [6]. »

Il y a de fortes raisons de penser que ces paroles ont été prononcées authentiquement par Jésus car, bien qu'entièrement juives de forme et de contenu, elles ont été conservées dans les Évangiles rédigés en grec par des chrétiens à qui les catégories juives étaient devenues progressivement étrangères. Pourtant ces paroles ne sont pas uniquement juives. Il faut les comprendre dans tout le contexte plus vaste de la prédication de Jésus. Surtout il faut se souvenir de la différence frappante entre l'insistance eschatologique sous-jacente à la mission de Jésus et la concentration sur la Loi qui caractérise l'enseignement rabbinique. L'inspiration de Jésus l'appelle vers l'avenir tandis que les rabbins regardent en arrière. George

Foot Moore a bien décrit leur travail en ces termes : « Découvrir, élucider et appliquer ce que Dieu... ordonne (dans la Loi), telle est la tâche du docteur comme interprète de l'Écriture ; jointe au principe que, dans la révélation divine, aucun mot n'est sans signification, cette conception de l'Écriture conduit à un émiettement quasi atomique de l'exégèse qui interprète les sentences, les clauses, les phrases et même les mots isolés indépendamment du contexte littéraire ou historique comme autant d'oracles divins, les combine avec d'autres expressions également isolées de leur contexte et fait grand usage de l'analogie des formes qui souvent ne relève que d'une association purement verbale [7]. »

Ce n'est pas là l'exégèse de Jésus.

Pour résumer, nous pouvons dire que si, souvent par leur forme, et quelquefois par leur contenu, les paroles de Jésus ressemblent beaucoup à celles des rabbins de son époque, son point de vue fondamental est différent du leur. Tout d'abord Jésus n'hésite pas à critiquer l'Écriture et à l'interpréter en fonction de ces passages essentiels où s'exprime le plus directement la parole de Dieu. L'amour de Dieu et l'amour du prochain sont les deux grands commandements dont la lumière doit éclairer tout le reste. En second lieu Jésus souligne que sa mission est l'accomplissement des prophéties de l'Écriture. L'interprétation messianique de l'Écriture n'est pas une nouveauté : on trouve quelque chose de très analogue dans les Manuscrits de la mer Morte qui interprètent les passages prophétiques comme relatifs au Maître de Justice. Ce qui est neuf chez Jésus c'est qu'il proclame que le Royaume de Dieu est proche et qu'il a été inauguré par sa venue.

Il est bien vrai que l'épisode paradoxal de l' « entrée triomphale » à Jérusalem semble montrer que Jésus accomplissait consciemment la prophétie de Zacharie (9, 9). « Voici que ton roi vient à toi : il est juste et victorieux, humble et monté sur un âne, sur un ânon, petit d'une ânesse. » Sans doute ni Marc ni Luc ne mentionnent la prophétie du roi pacifique, mais Matthieu (21, 4) dit que l'entrée à Jérusalem « advint pour accomplir l'oracle du prophète » et Jean (12, 16) témoigne que « ses disciples ne comprirent pas cela tout d'abord, mais quand Jésus eut été glorifié ils se souvinrent que cela avait été écrit de lui et que c'était bien là ce qu'on avait fait ». Beaucoup d'exégètes ont cru pouvoir tirer de ces données la conclusion que l'Église primitive avait établi elle-même la relation entre Zacharie et l'entrée à Jérusalem. Soit, mais ces données démontrent tout aussi clairement que ce rapprochement exprime la découverte par l'Église de la véritable intention de Jésus.

Il y a sur ce point une différence entre les façons ancienne et moderne de comprendre la mission de Jésus. Un chrétien d'autrefois conclurait de tout cela que Jésus indiquait simplement de manière voilée qu'il était le roi dont le prophète avait prédit la venue. Un exégète moderne des Évangiles se préoccupera du contexte et tiendra compte des événements qui, selon Marc et Matthieu, ont suivi l'entrée à Jérusalem. Il sera frappé par le rapport qui existe entre Jésus chassant les marchands du Temple et la purification du Temple prédite par Zacharie (14, 21). Il établira un rapport entre « cette montagne » à qui on dit : « Soulève-toi et jette-toi dans la mer » et la prédiction de Zacharie (14, 4) : « Le mont des Oliviers se fendra par le milieu en direction est-ouest » (en hébreu, en direction de la mer), ce qui le conduirait à suggérer que, Jésus ayant accompli une partie de la prophétie, lui ou ses disciples, ou eux avec lui, espéraient que le reste des événements prédits allait se produire. Mais ils ne se produisirent pas et le figuier ne porta pas de fruits hors de sa saison. C'est alors que Jésus comprit que le calice de souffrances ne s'écarterait pas de lui et que la seule voie ouverte pour lui était celle de la croix. Une telle description de l'attitude de Jésus en face de la prophétie demeure conjecturale mais ne peut être exclue, dogmatiquement parlant. En effet, « quant à la date de ce jour ou à l'heure, personne ne les connaît, ni les anges dans le ciel ni le Fils, personne que le Père » (Mc 13, 32). Les exégètes modernes des Évangiles, tout comme les anciens théologiens, doivent donc accepter ce que leur dit le Nouveau Testament de l'humanité de Jésus.

Le verset de Matthieu (13, 52) sur le scribe chrétien peut,

comme l'a fait remarquer Klostermann[8], être très bien appliqué à Jésus lui-même : « Et il leur dit : " Ainsi donc tout scribe devenu disciple du Royaume des Cieux est semblable à un propriétaire qui tire de son trésor du neuf et du vieux ". »

PAUL ET L'ANCIEN TESTAMENT

Vers la fin du siècle dernier il était courant parmi les critiques d'établir une très nette distinction entre « la religion de Jésus » et « la religion concernant Jésus ». La première était la plus haute forme du Judaïsme, la seconde était le Christianisme. Parfois même on posait la question sous la forme : « Jésus ou Paul ? » Car Paul était considéré comme le fondateur de la foi chrétienne. Les études plus récentes ont abouti à rejeter cette dichotomie et à insister au contraire sur la continuité entre Jésus et le plus grand de ses apôtres. Cette continuité apparaît particulièrement évidente dans les attitudes respectives de Jésus et de Paul face à l'interprétation de l'Ancien Testament.

Paul connaissait divers recueils de paroles de Dieu[1] qui lui faisaient connaître la position de Jésus à l'égard de l'Ancien Testament. La nouvelle alliance du Seigneur avait accompli les prophéties de l'Ancien Testament (I Co 11, 25), et de plus, antérieurement à Paul, l'Église primitive avait déjà fourni ses propres interprétations de la passion et de la victoire du Christ. Sa mort pour nos péchés et sa résurrection le troisième jour avaient eu lieu « selon les Écritures » (I Co 15, 3). Il nous est difficile de déterminer quelle part exacte de sa théorie exégétique Paul doit à ses prédécesseurs dans la foi chrétienne. Il leur doit en tout cas l'interprétation générale de l'Ancien Testament en fonction du Christ.

Par son refus du légalisme la pensée de Paul ressemble à l'enseignement de Jésus. Il sait que la Loi, en tant qu'elle est un recueil d'ordonnances légales, a été notre ennemie. Elle a apporté

24

la malédiction même à ceux qui ont essayé de garder ses commandements, car il est dit dans le Deutéronome (27, 26) : « Maudit soit quiconque ne s'attache pas à tous les préceptes écrits dans le livre de la Loi pour les pratiquer » (Ga 3, 10). C'est de Jésus que Paul tient sa manière chrétienne de comprendre la Loi, elle se résume en une seule phrase : « Tu aimeras ton prochain comme toi-même » (Ga 5, 14 ; Rm 13, 9).

Pour Paul comme pour Jésus l'Ancien Testament est le livre de l'Espérance, mais Paul, qui vit après la mort et la résurrection de Jésus, peut découvrir beaucoup d'allusions messianiques qu'on aurait eu du mal à y trouver plus tôt. Par exemple son interprétation du Christ comme second Adam ne lui est pas fournie par Jésus lui-même mais par une combinaison de la spéculation juive courante et de la conscience chrétienne de ce que signifiait la Rédemption. L'expérience de l'Église corps du Christ était aussi préfigurée dans l'histoire d'Israël : les ancêtres du temps de l'Exode ont été « baptisés » par leur passage à travers la nuée et dans la mer, ils ont mangé un aliment « spirituel » et bu un breuvage « spirituel » dans le désert. Autant de préfigurations de l'Eucharistie (I Co 10, 2 sq).

Il y a des différences frappantes entre la pensée exégétique de Jésus et celle de Paul. Paul vit après la crucifixion, il voit la tragédie du légalisme. Le Christ lui-même est devenu une « malédiction » pour nous lorsqu'il a été crucifié car la Loi dit : « Maudit soit quiconque pend au gibet » (Dt 21, 23 ; Ga 3, 13). Tandis que Jésus, s'il critiquait la Loi, n'allait pas jusqu'à la rejeter tout entière. Encore une fois Jésus n'est pas un théologien, il fait même le désespoir des théologiens ! Impossible de faire entrer dans des catégories systématiques toutes les richesses et toute la variété de sa pensée. Paul au contraire a l'esprit naturellement théologique. Bien sûr pas au sens où nous entendons ce mot. Plus souvent qu'à son tour son esprit procède par allusions, intuitions, associations verbales, plutôt que par des voies rigoureusement logiques. Paul n'était pas un Grec formé à l'école du Platonisme ou du Stoïcisme mais un Juif élevé à Jérusalem aux pieds de

Gamaliel (Ac 22, 3). Pour lui la « philosophie » n'est que « vanité et déception » (Col 2, 8).

Dans plusieurs passages des Épîtres Paul s'efforce d'exposer systématiquement sa conception de l'exégèse. Tout d'abord on peut examiner les mots dont il se sert dans son exposé des relations entre l'histoire contenue dans l'Ancien Testament et celle du nouvel Israël, l'Église. Le mot « type » qu'il emploie à plusieurs reprises signifie d'habitude simplement « modèle exemplaire ». Dans la Iʳᵉ Épître aux Thessaloniciens (1, 7), l'Église de Thessalonique est décrite comme « un modèle pour tous les croyants de Macédoine et d'Achaïe » alors que dans la deuxième (II Th 3, 9) l'apôtre lui-même est un modèle à imiter. Dans la Iʳᵉ Épître aux Corinthiens (10, 6) le mot est employé dans un sens destiné à devenir quasi technique. Tous les faits de l'Exode sont à mettre en rapport avec notre histoire à nous chrétiens ; « ces faits se sont produits pour nous servir d'exemples (*typoï*), pour que nous n'ayons pas de convoitises mauvaises ». Plus haut la même idée s'exprime sans que le mot soit employé : « C'est bien dans la Loi de Moïse qu'il est écrit : " Tu ne musselleras pas le bœuf qui foule le grain. " Dieu se met-il en peine des bœufs ? N'est-ce pas pour nous qu'il parle, évidemment ? Oui, c'est pour nous que cela a été écrit » (I Co 9, 9 sq). Là, l'idée n'est pas tant d'un exemple évident, ou type, que celle d'un mystère caché qu'on pourrait presque appeler une allégorie[2]. Dans l'Épitre aux Romains (5, 14), Adam est appelé « type de celui qui doit venir ». Il n'est pas simplement un exemple car, confronté avec le Christ, la différence apparaît autant que la ressemblance et dans bien des cas l'œuvre du Christ s'oppose à celle d'Adam. Paul souligne ce double aspect dans le chapitre 15 de la Iʳᵉ Épître aux Corinthiens.

Un autre terme technique de son herméneutique peut paraître plus grec que juif, mais cependant, à l'examen qu'en fait Paul, se révèle demeurer à l'intérieur des limites du Judaïsme. Il emploie ce terme dans l'Épître aux Galates (4, 22-26) : « Il est écrit qu'Abraham eut deux fils, l'un de la servante, l'autre de la femme libre (Gn 16, 15), mais celui de la servante est né selon la chair, celui de la femme libre en vertu de la promesse. Il y a là une allé-gorie : ces deux femmes représentent deux alliances ; la première se rattache au Sinaï et enfante pour la servitude : c'est Agar (car le Sinaï est en Arabie) et elle correspond à la Jérusalem actuelle, qui de fait est esclave avec ses enfants. Mais la Jéru-salem d'en haut est libre, et elle est notre mère » (Ga 4, 22-26).

Ce mot « allégorie » (allegoroumena) vient d'un verbe couram-ment employé par les commentateurs grecs, en particulier les Stoï-ciens qui, pour les évacuer, expliquaient allégoriquement les mythes concernant les dieux. Selon ces exégètes dont certains étaient con-temporains de Paul, « on appelle allégorie le procédé qui consiste à dire une chose pour en signifier une autre [3] ». Ils interprétaient Homère par exemple comme une allégorie, ils cherchaient sous les formes extérieures des mystères cachés. De la même manière Paul va bien au-delà du sens littéral ou historique du récit de la Genèse lorsqu'il y découvre la préfiguration de deux Jérusalem, l'une esclave, l'autre libre. Il y introduit une théorie étrangère au récit pris dans sa littéralité, mais son interprétation n'est pas une allé-gorie à proprement parler. Paul en effet ne nie pas la réalité his-torique de l'Ancien Testament. En outre, en un certain sens, les figures de l'Ancien Testament ont été effectivement conçues pour servir d'exemples, et s'il est légitime de chercher de tels exemples dans l'Exode ou le Deutéronome il l'est également d'en trouver dans l'histoire des deux fils d'Abraham. La théorie de Paul n'est donc pas entièrement forcée [4].

Ce n'est pas simplement par les mots qu'il emploie pour l'expri-mer mais bien davantage par tout ce que Paul tire de l'Écriture que nous pouvons comprendre son interprétation de l'Ancien Testa-ment. Son exégèse est christocentrique. Pour lui Jésus est le Mes-sie promis et non seulement les passages qui prédisent explicite-ment sa venue, mais toute l'Écriture dans son ensemble sont remplis d'allusions à sa personne. Nous l'avons vu, Paul trouve dans l'Écri-ture une préfiguration de la mort et de la résurrection du Christ. Il ne précise pas dans quels passages mais on peut penser que c'est dans Isaïe (53) qu'il a trouvé le « type » de la mort du Christ, et dans Osée (6, 2) (ou peut-être dans le Livre de Jonas) celui de sa résurrection.

Pour Paul comme pour les premiers chrétiens en général, l'idée de Christ ne saurait être dissociée de l'histoire du plan divin de la rédemption qui, inauguré avec l'ancien Israël, avait atteint sa phase décisive dans la création d'un nouvel Israël, l'Église. On trouve chez Paul, comme dans toute la pensée chrétienne, la révélation du mystère de l'action de Dieu dans l'histoire. Cette notion est à la fois le résultat et dans une large mesure la source de son exégèse. A la lumière de sa propre expérience de la « crise » de l'histoire humaine qu'a représentée pour lui sa rencontre avec le Christ, Paul découvre d'autres « crises » dans l'histoire d'Israël et croit que ce sont là ses types exemplaires qui préfigurent les événements de son temps. La première « crise » se situe lors de la chute d'Adam par laquelle le péché et la mort sont entrés dans le monde (Rm 5, 12). La seconde est la foi d'Abraham « qui lui fut comptée comme justice » (Ga 3, 6). La troisième crise est l'octroi de la loi à Moïse par l'intermédiaire des anges « en vue des transgressions » (Ga 3, 19). La quatrième est la crucifixion et la résurrection du Christ. Toutes ces « crises » sont pour nous remplies de signification, tout cela est à mettre en rapport avec notre situation à nous chrétiens. « De même en effet que tous meurent en Adam, tous aussi revivront dans le Christ » (I Co 15, 22). La promesse de bénédiction que Dieu a faite à Abraham et à sa descendance s'applique au Christ et donc aux chrétiens (Ga 3, 16). Le Christ nous a rachetés de la Loi (Ga 3, 13) ; « la loi de l'esprit qui donne la vie dans le Christ Jésus [nous] a affranchis de la loi du péché et de la mort » (Rm 8, 2). Et la crucifixion et la résurrection du Christ désignent par avance notre propre mort et notre résurrection en lui (Rm 6, 3 sq et Col 3, 1 sq) [5].

Un exemple significatif d'exégèse rabbinique chez Paul se rencontre dans des preuves qu'il cite à l'appui de son interprétation de l'histoire biblique : « Or c'est à Abraham que cette promesse fut adressée et à sa descendance. L'Écriture ne dit pas « et aux descendants » comme s'il s'agissait de plusieurs, elle n'en désigne qu'un. Et à ta descendance, c'est-à-dire le Christ » (Ga 3, 16). Dans Genèse (13, 15; 17, 19) le mot « descendance » est bien sûr un terme collectif, il s'applique aux héritiers d'Abraham considérés comme un tout. En s'appuyant sur un littéralisme rigoureux qu'il oublie ailleurs (cf. II Co 11, 22), Paul parvient à interpréter le mot comme s'appliquant au Christ. Et comment y arrive-t-il ? Il ne considère pas le Christ comme un individu mais comme faisant corps avec tous les justes qui vivent en lui par la foi. La bénédiction d'Abraham ne descend pas sur le Christ seul mais aussi sur nous, on pourrait presque dire que « Christ » est un nom collectif, aussi bien que « descendance ». Tandis que l'exégèse de Paul est rabbinique et verbale dans sa forme, la pensée qu'elle exprime est beaucoup plus profonde [6].

On en trouve un autre exemple intéressant dans la Ire Épître aux Corinthiens (10, 1 sq) où l'expérience vécue au cours de l'Exode par les enfants d'Israël est comprise comme un exemple pour les chrétiens. Dans le verset cité plus haut de l'Épître aux Galates, Paul s'appuie sur une exégèse littérale et verbale, mais dans le passage suivant de la Ire aux Corinthiens son interprétation est très libre et sa citation de l'Ancien Testament n'est pas rigoureuse : « Car je ne veux pas que vous l'ignoriez, frères ; nos pères ont tous été sous la nuée, tous ont passé à travers la mer, tous ont été baptisés en Moïse dans la nuée et dans la mer, tous ont mangé le même aliment spirituel et tous ont bu le même breuvage spirituel, ils buvaient en effet à un rocher spirituel qui les accompagnait et ce rocher c'était le Christ. » On peut remarquer dans ce passage non seulement l'emploi de termes chrétiens pour décrire l'expérience spirituelle d'Israël, mais aussi la mise en œuvre d'éléments non bibliques dans le récit. Ainsi il n'est pas question dans la Bible de ce rocher qui suit les Israélites. Mais il est facile de reconstituer sur la base des récits qu'on y lit la théorie selon laquelle un tel rocher a bien dû exister. D'après les trois récits du miracle de l'eau jaillie du rocher (Ex 17 ; Nb 20 ; 21, 16 sq) l'eau est apparue en trois endroits différents. Alors quoi de plus naturel que de supposer un miracle plus miraculeux encore : le rocher accompagnait les Israélites, et c'est ainsi que le Targum du Pseudo-Jonathan[7] raconte l'histoire. Mais ce rocher ne se contentait pas d'accompagner simplement les Israélites, il *était* le Christ. Deux sources possibles à cette idée. Tout d'abord, pour Paul, le Christ était la Sagesse préexistante de Dieu décrite dans l'Ancien Testament, l'instrument dont Dieu s'est servi pour créer le monde et veiller sur lui selon sa Providence. Or, selon Philon d'Alexandrie, ce rocher qui donnait de l'eau aux Israélites doit être identifié avec la Sagesse. En second lieu, le jour de la Cène, le Christ a donné à ses disciples une nourriture et une boisson spirituelles, et cela sous la forme de son corps et de son sang, c'est pourquoi ce rocher qui donnait un breuvage spirituel doit être identifié au Christ. Une telle exégèse est-elle arbitraire ? L'évasion d'Israël hors d'Égypte peut s'interpréter comme le symbole de la rédemption qui délivre les chrétiens du péché et de la mort. Et puisque la langue religieuse est naturellement symbolique, on peut estimer que l'exégèse de Paul se trouve confirmée, non pas à vrai dire par la logique, mais par cette sorte de compréhension imaginative qui naît de la foi.

Avec l'idée de foi nous arrivons à ce qui est peut-être l'aspect essentiel de l'interprétation paulinienne de l'Ancien Testament. Pourquoi, demande-t-il, les Juifs à qui Dieu a donné d'abord les Écritures ne peuvent-ils les comprendre comme les chrétiens le font ? Pourquoi ne discernent-ils pas les figures et les allégories qui s'offrent à leurs yeux ? La réponse de Paul se trouve dans la IIe Épître aux Corinthiens ; elle est fondée sur un exemple pris dans l'Ancien Testament. Après que Moïse eut parlé à Dieu sur le mont Sinaï, son visage rayonnait à tel point qu'il dut le recouvrir d'un voile pour paraître devant les enfants d'Israël : « Jusqu'à ce jour en effet, lorsqu'on lit l'Ancien Testament, ce même voile demeure, il n'est point levé, car c'est le Christ qui le fait disparaître » (II Co 3, 14 sq). Oui, jusqu'à ce jour, lors de la lecture de Moïse un voile est posé sur leur cœur. C'est quand on se convertit au Seigneur que le voile tombe (Ex 34, 34), car « le Seigneur » c'est l'Esprit et où est l'Esprit du Seigneur là est la liberté (II Co 3, 17 sq). Ici Moïse n'est pas seulement une des figures de l'Ancien Testament, mais aussi une figure de l'Israélite incroyant qui doit retourner vers le Seigneur comme l'a fait Moïse. Et qui est le Seigneur ? C'est l'Esprit qui, pour un cœur chrétien, interprète sans voile le contenu des Écritures. De la lettre de l'Ancien Testament l'Esprit tire pour nous la liberté. Dieu nous a faits « ministres d'une alliance nouvelle, non de la lettre mais de l'esprit, car la lettre tue et l'Esprit vivifie » (II Co 3, 6). La lettre ce n'est pas l'Ancien Testament en tant que tel, c'est l'Ancien Testament document légaliste tel que l'interprètent les Israélites non convertis. Mais grâce à l'Esprit nous sommes capables de comprendre l'Ancien Testament comme une œuvre spirituelle[8].

Si certains ne peuvent pas comprendre de cette manière l'Ancien Testament, c'est simplement qu'ils n'ont pas reçu le don de l'Esprit. Ils ont été comme aveuglés, oui, rendus aveugles par Satan : « Que si notre Évangile demeure voilé c'est pour ceux qui se perdent qu'il est voilé, pour les incrédules dont le dieu de ce monde a aveuglé la pensée afin qu'ils ne voient pas resplendir l'Évangile de la gloire du Christ qui est l'image de Dieu » (II Co 4, 3 sq). Telle est la base fondamentale de l'exégèse paulinienne. La vraie compréhension de l'Ancien Testament vient de Dieu. Ceux qui ne la possèdent pas ont été aveuglés. On peut discuter même sur des bases purement rationnelles (II Co 4, 2 ; cf. Rm 2, 15), mais cela ne convaincra jamais ceux qui n'ont pas reçu le don de la foi.

Que dire sur la forme de l'exégèse paulinienne ? Elle est, nous l'avons vu, chrétienne par ses principes directeurs. Tout, en dernière analyse, y est déterminé par rapport au Christ. Mais dans ses aspects extérieurs son interprétation de l'Ancien Testament n'est pas tellement différente de celle proposée par certains rabbins de son temps. De telles ressemblances ne sauraient nous étonner si nous nous souvenons que Paul avait étudié « aux pieds de Gamaliel » (Ac 22, 3). Les analyses fournies par les meilleurs interprètes modernes confirment cette constatation. Nous ne donnerons ici que quelques exemples.

Tout d'abord Paul prend de grandes libertés avec le sens originel des passages qu'il cite. Il se soucie fort peu du contexte. Voyez comment il cite le Psaume (69, 9) dans l'Épître aux Romains (15, 3) : « Que chacun de nous plaise à son prochain en vue de l'édifier car le Christ n'a pas recherché ce qui lui plaisait, mais comme il est écrit : "Les insultes de tes insulteurs sont tombées sur moi". » Dans l'Évangile de Jean un autre fragment du verset suivant est interprété en rapport avec le Christ : « Le zèle pour ta maison me dévorera. » Alors qu'à nos yeux il paraît contestable d'extraire d'un Psaume qui ne semble pas particulièrement messianique un verset isolé, l'Église primitive s'est plu à trouver dans tout le Psautier maintes prédictions messianiques. Et les rabbins les ont souvent interprétés de façon analogue. Pour qui connaissait l'histoire du ministère de Jésus une telle exégèse n'avait rien d'arbitraire. Et Paul poursuit en ces termes pour justifier son interprétation dans le verset suivant de son Épître : « En effet tout ce qui a été écrit dans le passé le fut pour notre instruction afin que la constance et la consolation que donnent les Écritures nous procurent l'Espérance » (Rm 15, 4). Ce principe rabbinique est cité en vue de justifier l'exégèse proprement rabbinique.

Voici au chapitre 1 de l'Épître aux Colossiens un autre exemple d'exégèse christocentrique par son contenu mais rabbinique par sa forme. Paul dit du Christ : « Il est l'image du Dieu invisible, Premier-Né de toute créature, car c'est en lui qu'ont été créées toutes choses, dans les cieux et sur la terre, les visibles et les invisibles, Trônes, Seigneuries, Principautés, Puissances, tout a été créé par lui et pour lui. Il est avant toute chose et tout subsiste en lui. Et il est aussi la tête du corps, c'est-à-dire de l'Église : Il est le Principe... » (Col 1, 15 sq.) A première vue ce passage semble une description lyrique du Christ préexistant. Mais c'est en réalité un produit typique de l'exégèse rabbinique dont les présupposés sous-jacents n'apparaissent qu'en partie. Paul commence par reconnaître le Christ préfiguré dans Proverbes (8, 22), là où la Sagesse décrit l'usage que Dieu a fait d'elle dans sa création. Puisque le Christ Sagesse de Dieu est l'agent de Dieu dans la création, nous devons tout naturellement, pour mieux comprendre sa nature, recourir au récit des premiers chapitres de la Genèse. Là il est dit que : « Dans le commencement Dieu a fait le ciel et la terre » (Gen 1, 1). Un interprète formé à l'exégèse rabbinique essayera de définir plus étroitement le sens de la préposition « dans ». Est-ce un simple locatif ? Ou n'est-ce pas plutôt le mode d'action du Créateur ? En comparant avec Proverbes (8, 22), on conclut qu'il s'agit bien de décrire le procédé employé par Dieu et on peut exprimer cela plus clairement en remplaçant « dans » par d'autres prépositions qui toutes semblent s'appliquer convenablement : « Par » ce commencement et « pour » lui Dieu a créé le ciel et la terre, il est « avant » eux et « avec » eux. On peut même pousser la déduction plus avant : en effet dans la langue maternelle de Paul le même mot signifie « commencement » et « tête » : c'est donc là très clairement une préfigure du Christ qui n'est pas seulement le commencement de la création mais la tête de son propre corps, l'Église[9].

On peut s'étonner d'un procédé qui permet d'édifier une construction aussi imposante sur une base aussi frêle, pourtant, étant donné la règle générale de l'interprétation christocentrique d'une part et le principe rabbinique de valoriser au maximum chaque mot de l'Écriture d'autre part, la démonstration est parfaitement logique.

Peut-être l'exemple le plus instructif d'une telle interprétation christocentrique combinée avec une exégèse verbale se trouve-t-il dans le chapitre 10 (5-10) de l'Épître aux Romains. Là, à la lumière de sa certitude du salut par la foi, Paul n'hésite pas à analyser un passage de l'Ancien Testament qui fait état du salut par les œuvres, et de conclure qu'il prouve le salut par la foi ! Moïse a écrit (Lv 18, 5) que l'homme qui accomplit la justice née de la Loi vivra par elle (Rm 10, 5). Il y a un autre passage dans la Loi qui affirme que l'observation de la Loi n'est pas impossible ni même difficile. Mais comme ce passage est contraire à l'opinion personnelle de Paul (Rm 7) il lui faut trouver une exégèse permettant de tourner la difficulté. Voici le passage en question (Dt 30,

11 sq) : « Car cette Loi que je te prescris aujourd'hui n'est pas au-delà de tes moyens. Elle n'est pas dans les cieux qu'il te faille dire : " Qui montera pour nous aux cieux nous la chercher, que nous l'entendions pour la mettre en pratique ? " Car la Parole est tout près de toi, elle est dans ta bouche et dans ton cœur pour que tu la mettes en pratique. » Paul substitue à la justice légaliste de l'Ancienne Alliance la justice par la foi de la Nouvelle et tout à fait à la manière rabbinique il glose chaque expression de manière à la rendre conforme à sa propre pensée : « ... la justice née de la foi, elle, parle ainsi : *Ne dis pas* dans ton cœur : *Qui montera au ciel ?* entends : pour en faire descendre le Christ ; ou bien : *Qui descendra dans l'abîme ?* entends : pour faire remonter le Christ de chez les morts. Que dit-elle donc ? *La parole est tout près de toi, sur tes lèvres et dans ton cœur ;* entends : la parole de la foi que nous prêchons. En effet si tes lèvres confessent que Jésus est Seigneur et si ton cœur croit que Dieu l'a ressuscité des morts, tu seras sauvé ; car la foi du cœur obtient la justice et la confession des lèvres le salut » (Rm 10, 6-10). Paul est convaincu que l'auteur de l'Ancien Testament a écrit cela en pensant au Christ, sans quoi les expressions qu'il emploie n'auraient aucun sens. C'est en effet le Christ qui est descendu du ciel, est ressuscité des morts et nous a apporté le don du salut. On peut comparer à ce passage un exposé analogue du Psaume (68, 19) : « *C'est pourquoi l'on dit : Montant dans les hauteurs il a emmené des captifs, il a donné des dons aux hommes* » dans l'Épître aux Éphésiens (4, 8, 10). Là non plus le rôle du Christ n'est pas mentionné explicitement dans le texte et comme l'observe Bonsirven : « Le plus étrange pour nous c'est que les exemples exégétiques prennent la forme d'une démonstration [10]. »

Ces deux exemples doivent suffire à nous montrer tout ce que l'exégèse paulinienne de l'Ancien Testament conserve de rabbinique dans sa forme. Son trait le plus frappant est sa manière de commenter les mots isolément aux dépens du contexte. Pourtant, comme nous l'avons dit, une fois admise l'idée que tout l'Ancien Testament est centré autour du Christ, nous pouvons la comprendre avec sympathie. Mais d'un point de vue strictement historique nous ne pouvons plus aujourd'hui considérer comme pleinement valable la méthode exégétique de Paul. C'est que, pour les chrétiens, l'Ancien Testament ne se suffit pas à lui-même. Son message n'est pas complet. Son regard porte au-delà de son propre temps vers la venue de quelqu'un, de celui que nous croyons être en Jésus.

Mais notre tâche ne doit pas se borner à rechercher dans les Épîtres de Paul des exemples de rabbinisme chrétien. Car de toute évidence des différences frappantes séparent son œuvre de celle des commentateurs juifs. Paul écrit en grec. C'est un fait dont il ne faudrait pas surestimer le sens car il y avait beaucoup de Grecs dans la Palestine juive et le judaïsme a subi avec persistance l'influence de la philosophie grecque. Pourtant il nous faut comparer l'exégèse de Paul à celle d'un autre Juif qui, lui aussi, a écrit en grec. Et nous allons trouver un certain nombre de remarquables similitudes entre les œuvres exégétiques de Paul et celles de Philon d'Alexandrie.

Quand Paul insiste sur les mots « descendance » au singulier dans l'Épître aux Galates (3, 16) on trouve un parallèle chez Philon qui met l'accent sur « fils » au singulier dans Genèse (17, 16). (*De mut. nom.* 145). Ailleurs Paul et Philon trouvent des significations cachées dans les noms, en particulier ceux des personnages importants de l'histoire biblique. Tous deux voient une allégorie dans le nom d'Agar (Ga 4 ; *Leg. alleg.* III, 244). Nous avons déjà rencontré un exemple plus significatif encore de ces rapprochements dans l'identification que faisait Paul du rocher miraculeux avec le Christ (voir p. 29) alors que Philon l'identifie à la Sagesse ou au Logos (*Leg. alleg.* II, 86 ; *Quod det. pot.* 118).

Nous n'irons pas jusqu'à accepter l'opinion de Michel lorsqu'il conclut qu'en dépit de certaines différences l'exégèse de Philon est plus proche de celle de Paul que de celle des rabbins juifs. Mais nous serons d'accord avec lui pour suggérer que Philon et Paul dépendent tous les deux de la tradition exégétique de la synagogue [11]. Néanmoins leurs perspectives diffèrent de celles de la tradition exégétique des rabbins. Car Philon et Paul sont l'un et l'autre apôtres des gentils et emploient la terminologie de la rhétorique grecque.

Cependant on ne saurait expliquer Paul simplement par rapport à ses sources juives et grecques : sa personnalité a été entièrement transformée par l'expérience de sa conversion. Il est possible que, comme d'autres convertis, il ait quelque peu exagéré l'étendue de cette transformation, mais il reste vrai, surtout en ce qui concerne sa conception de l'Ancien Testament, que ce n'est plus lui qui vit mais le Christ qui vit en lui (Ga 2, 20). Par la Loi il est mort à la Loi afin de vivre pour Dieu (Ga 2, 19). Son interprétation de l'Écriture ne peut plus désormais être ce qu'elle était du temps de sa vie préchrétienne. L'Ancien Testament reste l'Écriture, seulement il n'est plus lettre mais esprit, il n'est plus la Loi mais un ministère de grâce. Et le Christ y est partout « car la fin de la Loi c'est le Christ » (Rm 10, 4). Une interprétation spécifiquement chrétienne de l'Ancien Testament est née.

III

PLACE DE L'ANCIEN TESTAMENT
DANS LE NOUVEAU

Nous venons de voir comment l'apôtre Paul a développé son interprétation christocentrique de l'Ancien Testament. Mais les Épîtres pauliniennes n'en représentent pas la forme finale. Les exemples d'exégèse qu'on y trouve ont je ne sais quel air de liberté. On n'est pas très sûr que si Paul avait eu à interpréter deux fois le même passage il l'aurait fait les deux fois de la même façon. Il se sert d'interprétations *ad hoc*. En revanche on trouve dans l'Épître aux Hébreux une forme d'exégèse quelque peu forcée parvenue à son plein développement et qui, lorsqu'elle s'attaque à un passage de l'Écriture, ne se donne aucun répit jusqu'à ce qu'elle en ait extrait les plus subtiles parcelles de signification.

Cette différence s'explique en partie par la nature de l'auditoire auquel elle est adressée. Il ne s'agit pas de nouveaux convertis pleins d'enthousiasme mais de chrétiens de longue date fatigués de leur effort. Ils connaissent bien leur Ancien Testament. Peut-être même trop bien. L'Épître s'ouvre par un magnifique développement rhétorique montrant le caractère incomplet et insuffisant de la révélation de l'Ancien Testament et l'accomplissement de celle-ci en la personne du Fils de Dieu (He 1, 1-3). Puis l'auteur passe brusquement à une série de preuves textuelles destinées à montrer d'une part la supériorité du Fils sur les anges et de l'autre l'infériorité de ceux-ci vis-à-vis de lui. Pourquoi cela ? La réponse est, semble-t-il, dans le fait que le Psaume 8 était compris dans un sens messianique par rapport au Christ. On y lit à la fois le verset cité par Paul dans la Ire Épître aux Corinthiens (15, 27) : « Il a tout mis sous ses pieds » et, en parlant du « Fils de l'homme », « tu l'as fait de peu inférieur aux anges ». Une exégèse littérale, qu'elle fût chrétienne ou juive, incapable de se servir du principe christocentrique pouvait facilement tirer de là que Jésus était inférieur aux anges. L'auteur de l'Épître aux Hébreux s'élève contre cette idée d'abord en tirant de l'Écriture une série de preuves pour montrer que Jésus est supérieur aux anges (He 1, 5-13), ensuite en étudiant soigneusement le Psaume 8 mettant l'accent sur les expressions qui tendent à la glorification de Jésus et insistant sur le caractère transitoire de son abaissement (He 2, 5-10). Ce seul exemple nous suffit pour conclure avec Scott que la méthode d'exégèse de cette Épître « consiste non pas tant à atténuer la lettre de l'Écriture qu'à la valoriser, à l'examiner pour ainsi dire au microscope afin de dégager la totalité de ses implications [1] ». L'auteur de l'Épître aux Hébreux n'est pas un allégoriste. Et pourtant sa recherche constante de préfigurations du Christ et de ses actions le conduit à une typologie très voisine de l'allégorie. En dernière analyse l'Épître aux Hébreux refuse à l'Ancien Testament une réalité totale : la Loi n'est que l'ombre des biens à venir, non la substance même des réalités (He 10, 1). C'est la foi qui leur fournit leur substance (He 11, 1).

Voici les deux cas où l'auteur de l'Épître aux Hébreux voit une préfiguration de la personne et de l'œuvre du Christ : l'un est le mystérieux Melchisédech prêtre-roi de Salem (Gn 14, 17 sq ; He 7), l'autre est le rôle du sacerdoce lévitique dans son ensemble (He 8, 10). Dans le premier cas, l'usage que les chrétiens d'alors faisaient du Psaume 110 encourage notre auteur à en entreprendre une analyse détaillée, au microscope. Là où les autres chrétiens se contentaient de citer le premier ou les deux premiers versets du Psaume il aperçoit Jésus préfiguré dans le quatrième : « Tu es prêtre à jamais selon l'ordre de Melchisédech. » Après avoir cité d'après la Genèse une partie de l'histoire de Melchisédech, l'Épître aux Hébreux poursuit en montrant que ce récit est d'ordre typologique. Il était le roi de justice, le roi de paix, car selon notre auteur Melchisédech veut dire étymologiquement « roi de justice » et Salem « paix ». Ces mots en eux-mêmes sont lourds de sens car Isaïe a prédit que le Sauveur attendu serait appelé « prince de la paix » (Is 9, 6 sq). Un tel passage permet de montrer que Jésus a été préfiguré dans Melchisédech [2].

Pourtant il ne s'agit pas là d'une simple question de nom. Melchisédech est une figure si mystérieuse de l'Ancien Testament qu'on peut pousser plus avant les recherches sur sa signification. A la différence des autres personnages du récit de l'Ancien Testament, il n'a pas de famille. Il apparaît soudain et disparaît de même. C'est pourquoi l'Épître aux Hébreux peut voir en lui une figure du Christ éternel qui lui aussi était « sans père, sans mère, sans généalogie, dont les jours n'ont pas de commencement et dont la vie n'a pas de fin » (He 7, 3). Bien plus, le sacerdoce de Melchisédech est d'un rang plus élevé que celui de Lévi car Melchisédech a béni Abraham après avoir reçu de lui la dîme. Il est évident que c'est l'inférieur qui reçoit la bénédiction du supérieur (7, 7). Et dans la dîme payée par Abraham à Melchisédech il s'agit d'une dîme payée non pas à Lévi ou au sacerdoce lévitique, mais par Lévi qui alors « était encore dans les reins de son aïeul » (7, 10). Ainsi est démontrée l'infériorité du sacerdoce lévitique par rapport à celui de Melchisédech. En fait Jésus, notre grand prêtre, n'appartient pas au sacerdoce lévitique : il n'y a en effet dans les écrits de Moïse aucune prophétie annonçant qu'un prêtre sortirait de la tribu de Juda (7, 14) : la prophétie qu'il accomplit est l'histoire de Melchisédech.

Pour résumer sa façon de voir en Jésus un prêtre selon l'ordre de Melchisédech, notre auteur termine ainsi son portrait de la personne du Christ dans l'Ancien Testament et poursuit en parlant de son œuvre : « Le point capital de nos propos est que nous avons un pareil grand prêtre qui s'est assis à la droite du trône de la Majesté dans les cieux, ministre du sanctuaire de la Tente, la vraie, celle que le Seigneur, non un homme, a dressée. Tout grand prêtre en effet est établi pour offrir des dons et des sacrifices, d'où la nécessité pour lui aussi d'avoir quelque chose à offrir » (He 8, 1-3). Évidemment ce portrait de Jésus comme grand prêtre n'est pas le résultat de l'exégèse exposée par l'auteur, mais il lui fournit le point de départ de son interprétation de l'Écriture. Les corrélations qu'il découvre entre le rôle du Christ et la mystérieuse figure de Melchisédech ne prouvent rien; elles viennent simplement enrichir la vision chrétienne du sens christocentrique de l'Ancien Testament et rendent plus claire la signification du personnage de Melchisédech. Notre auteur appelle cette interprétation « parabole » ou comparaison (He 11, 19 ; cf. 9, 9). Il aurait pu tout aussi bien ajouter un autre parallèle entre Melchisédech apportant du pain et du vin (Gn 14, 18) et Jésus distribuant le pain et le vin lors de la dernière Cène, mais peut-être considère-t-il ce rite comme trop sacré pour oser en parler. Peut-être aussi son attention est-elle ici si absorbée par ses autres comparaisons qu'il n'a pas le temps de s'occuper de celle-là. Comme c'est souvent le cas dans l'exégèse typologique, l'auteur détache entièrement Melchisédech de son milieu historique. Bien plus, il ne comprend pas vraiment ce qu'est le culte sacrificiel. Mais à nos yeux ces quelques faiblesses ne diminuent pas la valeur de son œuvre. Nous avons le droit de préférer d'autres méthodes, mais nous hésiterions à contester la valeur religieuse de ses conclusions.

Le second exemple est celui du sacerdoce lévitique. Lorsque l'auteur de l'Épître aux Hébreux vient à examiner l'œuvre de Jésus, il considère celle-ci comme le ministère d'une alliance à la fois éternelle et nouvelle. Le ministère terrestre du sacerdoce mosaïque n'est qu'une copie de ce ministère véritable et céleste, car dans Ex (25, 40), Dieu enseigne à Moïse à faire toute chose « suivant le modèle qui t'est montré sur la montagne ». Ce modèle est la préfiguration céleste de la copie terrestre. Tout dans cette dernière a un sens particulier, mais ici l'auteur concentre son attention uniquement sur les corrélations les plus importantes (He 9, 5) : « Le Christ, lui, survenu comme le grand prêtre des biens à venir, traversant la tente plus grande et plus parfaite qui n'est pas faite de main d'homme, c'est-à-dire qui n'est pas de cette création, entra une fois pour toutes dans le sanctuaire, non pas avec du sang de boucs et de jeunes taureaux mais avec son propre sang, nous ayant acquis une rédemption éternelle » (He 9, 11 sq). Dans l'Ancien Testament seul le grand prêtre pénétrait dans le Saint des Saints, et seulement une fois par an. Il devait offrir des sacrifices répétés de sang de veaux et de boucs. Ces sacrifices devaient être renouvelés chaque année et ils étaient offerts non seulement pour le peuple mais aussi pour les péchés du grand prêtre lui-même. Au contraire, dans la nouvelle alliance, Jésus est entré une fois pour toutes dans le véritable Saint des Saints qu'est le ciel (He 9, 24). Il offre en sacrifice son propre sang car « le sang des taureaux et des boucs est impuissant à enlever des péchés » (10, 4). Il n'offre pas son sang en sacrifice pour ses péchés car il est sans péché, après avoir été rendu parfait par l'obéissance qui l'a conduit jusqu'à la mort (4, 15 — 5, 9). Ainsi, « par une oblation unique il a rendu parfaits pour toujours ceux qu'il sanctifie » (10, 14). Il leur a ouvert la route vers le vrai Saint des Saints, le ciel, « à travers le voile — c'est-à-dire sa chair » (10, 20).

Comme l'ont souvent remarqué les exégètes, l'Épître aux Hébreux ne nous apporte pas un tableau complet ni même parfaitement exact de ce que signifie le sacrifice pour l'Ancien Testament. C'est que l'auteur se soucie assez peu de l'Ancien Testament en tant que source pour l'histoire et l'archéologie. Il cherche simplement des exemples à l'appui de sa théorie personnelle sur la signification du sacrifice de Jésus. Selon lui, seule l'interprétation christocentrique de l'Écriture donne tout son sens à l'Ancien Testament. Et dans le chapitre 2 de son traité il raconte l'histoire d'Israël telle qu'on doit la comprendre à la lumière de la révélation du Christ. Patriarches et prophètes attendaient tous dans la foi qui les habitait que s'accomplisse la promesse de sa venue. Sans la foi le récit de l'Ancien Testament n'est pas une histoire mais un assemblage d'épisodes isolés. Grâce à la clé que lui fournit la foi, l'Épître aux Hébreux y découvre « une nuée de témoins » qui, comme les chrétiens, regardent vers Jésus « chef de notre foi qui la mène à la perfection » (He 12, 1-2).

Quels rapports y a-t-il entre l'exégèse de notre auteur et celle de ses prédécesseurs ? Elle est beaucoup plus soigneusement élaborée que celle de Paul. Là où l'apôtre des gentils se contente souvent d'allusions improvisées à différents versets de l'Écriture qu'il cite de mémoire, l'auteur de l'Épître aux Hébreux se réfère avec rigueur à quelques textes choisis et étudie leurs relations réciproques. Son analyse du sacerdoce suprême de Jésus est finalement fondée sur deux textes seulement : le Psaume 110 et l'épisode de Melchisédech dans la Genèse. Sa description de l'œuvre du Christ est presque entièrement tirée des récits concernant le culte du Temple que fournit le Pentateuque. Et pourtant sa connaissance de l'Ancien Testament semble parfois superficielle en comparaison de celle qu'en a Paul. Il ne se meut pas comme celui-ci dans l'univers mental de l'Ancien Testament. Mais pour lui, exactement comme pour son contemporain l'auteur de la Ire Épître de Pierre, la vie humaine de Jésus a une très haute signification. Il sait que « c'est avec une violente clameur et des larmes, des implorations et des supplications » (He 5, 7), que Jésus s'est offert en sacrifice, il sait qu'il a été tenté mais n'a pas succombé à la tentation (4, 15), il sait qu'il est mort hors des portes de Jérusalem (13, 12) et qu'il était sorti de la tribu de Juda (7, 14). De toute évidence il existe une histoire à la base de ces fragments isolés. Si l'auteur de l'Épître aux Hébreux avait eu l'intention d'écrire un évangile, son œuvre aurait été analogue à l'Évangile de Jean. Des réminiscences historiques combinées avec des interprétations de ce que représentait Jésus à la lumière de l'Ancien Testament et de l'expérience chrétienne. Mais l'Épître aux Hébreux n'est pas un évangile : c'est une analyse détaillée de la signification christocentrique de l'Ancien Testament. C'est seulement dans le Christ que celui-ci trouve son vrai sens. En fait il n'en a pas d'autre. La Loi n'a connu que « l'ombre des biens à venir, non la substance même des réalités » (He 10, 1).

L'Épître aux Hébreux a joué un rôle important dans l'histoire de l'exégèse. Certes elle a ouvert la porte aux fantaisies de ceux, allégoristes ou autres, qui cherchaient des sens cachés dans l'Ancien Testament. Mais elle a atteint aussi des résultats d'un caractère plus positif. En effet, sans la méthode typologique, il aurait été aussi impossible pour l'Église primitive de se maintenir en possession de l'Ancien Testament.

Si l'Épître aux Hébreux représente l'analyse typologique la plus poussée que nous possédions de l'Ancien Testament, il existe ailleurs maints autres exemples de cette méthode. Comme on l'a vu, l'Église primitive a montré un très vif intérêt pour tout ce qui, dans l'Ancien Testament, préfigurait la vie de Jésus. Rien d'étonnant alors que nous en trouvions le reflet dans les récits évangéliques.

On a souvent remarqué que l'Évangile de Matthieu se montre très proche des rabbins de Palestine par la vénération qu'il porte à l'Ancien Testament. Les chrétiens pour lesquels il écrit ont besoin qu'on leur recommande au nom de Jésus de ne pas se laisser appeler « rabbi » (Mt 23, 8). Et même si nous préférons croire que la parole de Jésus sur l' « accomplissement » de la Loi (Mt 5, 17) fait allusion au caractère définitif et complet de son enseignement moral, Matthieu, quant à lui, comprend de toute évidence qu'il s'agit là de l'accomplissement des prophéties de l'Écriture : nous avons déjà mentionné le verset : « pas un i, pas un point sur l'i ne passera de la Loi que tout ne soit réalisé » (Mt 5, 18).

Selon lui presque tous les événements de la vie de Jésus ont lieu « pour que soient accomplies les prophéties de l'Écriture ». Ces prophéties (et l'Écriture tout entière peut être considérée comme une prophétie) se rapportent directement à lui. La naissance virginale est la réalisation d'Isaïe (7, 14), (selon la version grecque) : « Voici qu'une vierge concevra » (Mt 1, 23). Il est né à Bethléem à cause d'une combinaison de Michée (versets 1 et 3) et de Samuel (5, 2) qui exaltent Bethléem et la naissance d'un roi pasteur (Mt 2, 6). Osée a prédit son retour d'Egypte lorsqu'il a dit (Os 11, 1) : « D'Égypte j'ai appelé mon fils » (Mt 2, 15). Il est venu habiter à Nazareth parce qu'il a été dit par les prophètes qu' « on l'appellerait Nazaréen » (Mt 2, 23). Les textes précédents suffisent à prouver que le verset destiné à justifier le lien entre Jésus et Nazareth était déjà oublié au moment où l'Évangile de Matthieu fut rédigé. De même lorsqu'il cite de mémoire une prophétie sur les trente pièces d'argent (Mt 29, 9), Matthieu l'attribue à tort à Jérémie au lieu de Zacharie. Mais ces erreurs sont l'exception, tant l'Écriture est ordinairement citée par lui avec précision.

Cette méthode d'exégèse n'a rien d'original chez lui : Jésus lui-même avait eu conscience des correspondances entre sa mission et certaines des prophéties de l'Écriture, et dans l'Évangile de Marc (Mc 1, 2) on trouve des références au « commencement de la Bonne Nouvelle » dans Malachie (3, 1) et Isaïe (40, 3), et également aux souffrances et à la mort de Jésus prédites par les prophètes. Nous avons vu Paul se servir de la typologie de l'Ancien Testament et noter les ressemblances entre l'Exode de l'ancien Israël et le salut de l'Église. Mais Matthieu va beaucoup plus loin que ses prédécesseurs. Là où Paul ne fait qu'une simple allusion à la supériorité du Christ sur Moïse, l'Épître aux Hébreux développe la comparaison et l'Évangile de Matthieu trace un portrait complet du Christ comme nouveau Moïse [3].

Tout d'abord le Christ donne lui aussi la nouvelle Loi du sommet d'une montagne (Mt 5, 1), et c'est d'une autre montagne (ou peut-être est-ce la même ?) qu'il envoie ses disciples vers une nouvelle terre promise (Mt 28, 16 sq). De même qu'à la naissance de Moïse toute la maison était remplie de lumière [4], de même une étoile guide les Mages vers le lieu où Jésus est né. De même que le roi d'Égypte a tué d'autres enfants en essayant de tuer Moïse, de même Hérode essaye de tuer Jésus et massacre les Innocents de Bethléem et du voisinage. Comme Moïse, Jésus est sorti de la terre d'Égypte et comme lui a été transfiguré sur la Montagne. Il y a là trop de similitudes pour les réduire à des coïncidences. Matthieu est fermement convaincu que Jésus est le nouveau Moïse venu pour apporter une nouvelle loi. Et il est décidé à le prouver aux autres à l'aide des prophéties de l'Ancien Testament.

L'évangéliste juif Matthieu n'est pas le seul à se servir de l'Ancien Testament pour y trouver la preuve de l'accomplissement divin de la prophétie. Issu de la gentilité, Luc entreprend la même tâche. Ecoutons ce qu'en dit Lestringant :

« Aucune page de Matthieu ne porte aussi fortement l'empreinte de la vocation du peuple élu que le commencement de l'Évangile de Luc. Le *Magnificat,* les cantiques de Zacharie et de Siméon nous présentent comme un fait accompli le don fait à Israël. A l'autre extrémité du récit le Christ reproche deux fois aux disciples leur lenteur à comprendre les Écritures, il ouvre leur esprit et leur explique ce qui le concerne dans le Pentateuque, dans les Prophètes et dans les Psaumes[5] » (Lc, 24, 25-47).

Pourtant dans son récit de la vie de Jésus, Luc se préoccupe moins que Matthieu de démontrer à propos de chaque épisode qu'il est la réalisation d'une prophétie de l'Écriture. Il se contente d'installer le décor et de laisser tomber le rideau.

Quant à Jean il se relie à l'Ancien Testament de façon plus subtile. On ne trouve pas chez lui beaucoup de citations proprement dites de l'Écriture, mais beaucoup plus fréquemment des allusions, en passant, à l'Ancien Testament. L'Ancien Testament lui fournit les thèmes de certains des longs sermons qu'au nom de l'Esprit il met dans la bouche du Christ. Mais il sait bien, comme il le dit dans le Prologue de son Evangile, que quand la vraie Lumière a brillé pour le peuple juif à travers les prophètes ce peuple ne l'a pas reçue. Quelques-uns seulement l'ont reçue à qui il a été donné le pouvoir de devenir enfants de Dieu. A la fin cependant il y a une révélation complète dans le tabernacle de la chair (Jn 1, 14), une révélation bien supérieure à celle qui avait été donnée d'abord : « Car la Loi fut donnée par l'intermédiaire de Moïse, la grâce et la vérité en sont venues par Jésus-Christ » (Jn 1, 17). Nul n'a jamais vu Dieu ; le Fils unique qui est dans le sein du Père, lui, l'a fait connaître (Jn 1, 18). Isaïe a dit qu'il avait vu le Dieu des Armées (Is 6, 5). En réalité ce qu'il a vu c'est la gloire du Christ préexistant (Jn 12, 41). La seule signification est d'ordre prophétique (Jn 5, 46 ; cf. Ap 19, 10).

Les écrits du Nouveau Testament pris dans leur ensemble ne diffèrent guère quant à leur point de vue de celui des écrits dont nous venons de parler. Les Épîtres pastorales ont été probablement composées à la fin du Ier siècle pour adapter à la situation nouvelle l'enseignement de Paul. La forme de gouvernement ecclésiastique très développé qu'elles reflètent fait penser qu'elles ne remontent pas jusqu'au vivant de Paul et leur enseignement concernant l'Écriture est plus systématique que le sien. On voit Paul louer Timothée pour avoir depuis son plus jeune âge connu les saintes lettres, « elles sont à même de te procurer la sagesse qui conduit au salut par la foi dans le Christ Jésus » : « Toute Écriture est inspirée de Dieu et utile pour enseigner, réfuter, redresser, former la justice » (II Tm 3, 15-16).

On voit ici Paul insister sur la valeur de l'Ancien Testament. Il s'attend à ce que Timothée résiste à ceux « qui ont la prétention d'être cependant des docteurs de la Loi » ; la Loi est bonne si on la prend comme une loi « en sachant bien qu'elle n'a pas été instituée pour le juste, mais pour les insoumis... et les pécheurs » (I Tm 1, 7-11), il faut donc l'interpréter. Que Timothée évite aussi « les fables et les généalogies sans fin » (I Tm 1, 4) ou, comme on les appelle ailleurs, les « fables juives et les prescriptions humaines de gens qui tournent le dos à la vérité » (Tt 1, 14). Ces interprétations des adversaires de Timothée ne sont-elles pas les deux branches de l'exégèse juive ? Les « mythes et généalogies » c'est la *Haggada,* interprétation de nature plus théologique que légaliste; les prescriptions humaines c'est la *Halaka,* ensemble de règles de conduite[6].

Le texte dit IIe Épître de Pierre traite, lui aussi, du problème de l'interprétation biblique. Son auteur connaît les gens « qui détournent de leur sens » les Épîtres de Paul et les autres Écritures (II P 3, 15 sq) et il doit faire face aux critiques qui demandent « où est la promesse de son avènement ? » (II P 3, 4). Un autre passage, malheureusement obscur sauf dans sa conclusion, affirme avec force que les prophètes étaient inspirés par l'Esprit-Saint (II P 1, 20-21). Dans la suite, des partisans de l'autorité ecclésiastique ont compris : « Aucune prophétie de l'Écriture ne relève d'une interprétation privée. » Mais cela ne semble pas être le vrai sens.

Pour conclure, nous pouvons dire que dans l'ensemble le Nouveau Testament a interprété l'Ancien selon la méthode typologique. On a cherché à travers tout l'Ancien Testament des figures et des prophéties de la venue du Christ, et comme la vie de celui-ci était déjà connue de tous il était très facile d'en trouver. Nous ne possédons guère d'exposés théoriques de la méthode typologique, mais si les premiers chrétiens s'étaient davantage intéressés à la théorie ils se seraient probablement servis à peu de chose près des termes mêmes de Justin :

« Tantôt en effet l'Esprit-Saint a fait qu'il se produise visiblement quelque chose qui était une figure typique de l'avenir, tantôt il a prononcé des paroles sur ce qui devait arriver, parlant comme si déjà les événements se passaient alors ou même étaient déjà passés. Si quelqu'un ne connaît pas ces règles, il ne pourra pas même suivre les paroles prophétiques comme il le faut » (*Dial.* 114, 1 ; cf. I P 1, 10-12). Une fois admise cette harmonie préétablie entre l'Ancien Testament et l'œuvre de Jésus, l'Ancien Testament devenait un véritable arsenal d'arguments textuels. On pouvait sans aucun doute affirmer que Jésus était bien celui que les prophètes avaient attendu, mais il est loin d'être aussi certain même aux yeux de la foi que sa venue ait été prédite par le Pentateuque et les Psaumes qui décrivent avant tout des événements passés et présents.

Toute la méthode typologique est basée sur l'hypothèse fondamentale que pour interpréter l'ensemble de l'Ancien Testament il faut regarder au-delà de lui. Tout comme les prophètes dans leurs prédictions, les autres auteurs de l'Ancien Testament ont écrit leurs œuvres en vue de l'avenir. Un tel présupposé peut évidemment se justifier. Ce n'est pas parce qu'ils étaient attirés par le passé en tant que tel que les divers auteurs de l'Ancien Testament en ont raconté les événements, mais c'est parce que les événements passés avaient une signification particulière pour le présent et aussi pour le futur. Ils croyaient que le Dieu qui était à l'œuvre dans le monde de leur époque et le serait encore dans l'avenir était le même qui avait agi jusque-là. Ils portaient, si l'on peut dire, un intérêt « existentiel » à l'histoire de l'action de Dieu. Les exégètes chrétiens qui croyaient que le Dieu de l'Ancien Testament était le père de

Jésus et qu'il l'avait ressuscité des morts, ne pouvaient manquer de considérer que l'action de Dieu était continue et homogène. C'est pourquoi ils regardaient les événements décrits dans l'Ancien Testament comme des préfigurations de ceux de la vie du Christ et de son Église.

Les difficultés commencent lorsque les ressemblances sont fondées sur des parallèles purement verbaux ou lorsque le contexte est ignoré, mais c'est là la faute de tel ou tel exégète mais non celle de la méthode typologique elle-même [7]. Le bon sens doit freiner l'imagination sans la tuer pour autant.

Remarquons aussi, après Stauffer [8] et d'autres auteurs, que l'évangéliste Jean nous autorise nettement à ne pas nous contenter du seul Nouveau Testament non seulement pour l'exégèse de l'Ancien, mais aussi pour celle de l'Évangile :

1. La tradition chrétienne contenait davantage sur Jésus que ce qui en a été rapporté soit par Jean (20, 30-31), soit par les autres évangélistes (21-25) ;

2. Jésus avait davantage à dire à ses disciples qu'il ne l'a fait durant son ministère (16, 12, cf. 14, 25);

3. L' « Esprit allait venir sur les disciples pour les enseigner, leur rappeler tout ce que Jésus leur avait dit (14, 26) et les guider vers la vérité tout entière » (16, 13).

LA BIBLE AU IIe SIÈCLE

Pour les auteurs que nous avons étudiés jusqu'ici la seule source faisant autorité, le seul livre digne d'être appelé « l'Écriture », était l'Ancien Testament. Puisque, selon le principe hérité du judaïsme, c'est le texte de l'Ancien Testament qui représentait la volonté de Dieu dans son intégralité, il n'était pas nécessaire de recourir à aucune autre autorité. C'est ce qui apparaît clairement dans les Actes des Apôtres qui, pour comprendre les problèmes théologiques, se réfèrent constamment à l'Ancien Testament alors qu'on n'y trouve qu'une seule allusion « aux paroles du Seigneur qui a dit... » (Ac 20, 35). Mais, passées les toutes premières années du christianisme, il est apparu nécessaire de mettre par écrit et de conserver soigneusement non seulement les paroles mais aussi les actions de Jésus. Il semble bien que le premier élément de cette tradition qu'on ait mis par écrit ait été le récit de la passion et de la mort du Christ. On trouve d'assez nombreuses références à ce récit dans les Épîtres de Paul comme dans la Ire Épître de Pierre et l'Épître aux Hébreux. Ensuite sont venus s'ajouter des recueils des paroles de Jésus qui jusqu'alors n'avaient circulé que sous une forme orale.

Pourtant ce n'est pas la rédaction des Évangiles qui a conduit à rassembler le groupe d'écrits destinés à devenir le Nouveau Testament. Selon une théorie développée tout d'abord par E. J. Goodspeed, la « publication » des Actes des Apôtres a suscité un regain d'intérêt pour les lettres de Paul, lesquelles furent alors recueillies, probablement en Asie Mineure, vers la fin du Ier siècle. L'Épître aux Éphésiens, qui est en réalité une « lettre circulaire », aurait été composée par un disciple de Paul pour réinterpréter la pensée de son maître quelques années après lui. Que cette théorie soit exacte ou non, on ne saurait nier qu'à la fin du Ier siècle la connaissance des Épîtres de Paul était largement répandue parmi les chrétiens. On s'aperçoit aussi qu'ils connaissaient bien certains des Évangiles. Pourtant ni les Épîtres ni les Évangiles ne sont alors considérés comme parties de l'Écriture, l'Ancien Testament demeure le seul Livre sacré de l'Église primitive.

Cette situation qui se dérobe à tous nos efforts pourrait s'éclairer à la lumière d'un passage difficile des Lettres d'Ignace, évêque d'Antioche au début du IIIe siècle. Écrivant à l'Église de Philadelphie, Ignace trouve, semble-t-il, dans cette ville des chrétiens si attachés à l'Ancien Testament qu'ils vont jusqu'à dire : « Si je ne le trouve pas dans les " archives ", je ne (le) crois pas dans l'Évangile. » Ignace répond : « C'est écrit » (dans l'Écriture). Mais ils rétorquent : « C'est là la question. » Puis Ignace, qui cite très rarement l'Ancien Testament, poursuit en affirmant que pour lui « les " archives " c'est Jésus-Christ, sa croix, sa mort et sa résurrection et la foi qui vient de lui » et il désire être « justifié » par les prières (de ses contradicteurs?) (Philad 8, 2). Sans doute il connaît quelques-uns des livres du Nouveau Testament (certainement la Ire aux Corinthiens et d'autres de Paul, probablement Jean, peut-être Matthieu et Luc), mais il ne fait pas appel à eux en la circonstance car la question que ses opposants ont soulevée est celle de l'interprétation christologique de l'Ancien Testament, et, fait significatif, ils ne semblent pas l'accepter. Quant à Ignace, son point de vue est net : les prophètes de l'Ancien Testament « ont vécu selon Jésus-Christ » (Magnésiens 8, 2).

Si la situation n'est pas tout à fait claire au début du IIe siècle, elle l'est davantage à l'époque de l'écrit pseudonyme qu'est la IIe Épître de Pierre qui est probablement le dernier en date des ouvrages de notre Nouveau Testament. Elle a été écrite à un moment où l'espérance eschatologique commençait à se sentir déçue et où on ne comprenait plus le style spontané de Paul. Malentendu d'autant plus considérable que les Épîtres de Paul sont alors considérées comme faisant partie de l'Écriture : « Il s'y rencontre des points obscurs que les gens sans instruction et sans fermeté détournent de leur sens, *comme d'ailleurs... toutes les lettres où il parle de ces questions* pour leur propre perdition » (II P 3, 16).

L'expression « toutes les lettres où il parle de ces questions » montre clairement que les Épîtres de Paul — y compris peut-être I Tm (1, 16) — ont aussi été considérées comme faisant partie de l'Écriture par « Pierre » et ceux pour qui il écrit. Et, bien qu'il ne cite pas explicitement l'Ancien Testament, les allusions qu'il y fait suffisent à montrer qu'il le considère aussi comme faisant partie de l'Écriture ; de plus il est probable que dans la II P (17-18) il se réfère à l'Évangile de Marc comme source de son récit de la Transfiguration. Cette II P reflète la situation normale de beaucoup de communautés chrétiennes au début du II° siècle : l'Ancien Testament est une Écriture inspirée, mais les Évangiles probablement et les Épîtres certainement le sont aussi.

Néanmoins, en ce second siècle, l'Église chrétienne est pleine de diversités et nombre de ses maîtres à penser ne partagent pas un tel point de vue. Il existe un large éventail d'opinions quant à la place de l'Ancien Testament dans l'Église : l'Épître de Barnabé par exemple tente de montrer que l'Ancien Testament n'a de signification que lorsqu'on le comprend en fonction de l'Évangile. Cette idée n'est pas neuve mais la méthode exégétique de l'auteur est caractérisée par une typologie quelque peu déformée. Pour lui l'histoire n'a strictement aucun sens. C'est à nous chrétiens que s'est toujours adressée l'alliance divine. On ne trouve même pas là une analyse des relations entre l'Ancienne et la Nouvelle Alliance, mais l'affirmation pure et simple que les Juifs ont toujours mal compris l'Ancien Testament : « Faites attention à vous-mêmes, ne ressemblez pas à certaines gens en accumulant péché sur péché et répétant que le Testament est à la fois leur bien et le nôtre. Il est nôtre à la vérité » (Barnabé 4, 6-7). L'exégèse typologique de Barnabé l'entraîne à rejeter non seulement l'histoire de l'Ancien Testament mais aussi la manière généralement admise par les chrétiens d'en comprendre le sens. Comme l'a observé Windisch, Barnabé n'est pas

loin de la Gnose hérétique du IIe siècle[1]. La singularité de son exégèse, en particulier dans l'exemple célèbre des 318 serviteurs
d'Abraham[2] ne nous donne pas une haute idée de son intelligence.

Un chrétien du IIe siècle qui, sans partager l'enthousiasme de
Barnabé pour la typologie, repoussait en même temps les préten-
tions du judaïsme, pouvait très bien nier la nécessité de conserver
l'Ancien Testament. C'est ce qu'a proposé comme une interprétation
vraie de la foi chrétienne Marcion le Pontique. On a quelquefois
prétendu qu'au IIe siècle Marcion était le seul à avoir compris la
pensée de l'apôtre Paul. Certes Paul était le héros de Marcion, mais
il ne faut pas confondre culte du héros et compréhension, et l'attitude de Marcion envers l'Ancien Testament aurait certainement hor-
rifié l'apôtre. Pour mettre les choses au point il suffit de relire les
chapitres 9 à 11 de l'Épître aux Romains : Aux frères de Paul,
les Israélites, appartiennent l'adoption filiale et la gloire, les alliances, la Loi, le culte de Dieu et les promesses. A eux aussi sont les
Patriarches dont le Christ est issu « selon la chair » (Rm 9, 4 sq).
« Ennemis de Dieu il est vrai, à cause de vous, ils sont, selon
l'élection, chéris à cause de leurs pères » ; « car les dons et l'appel
de Dieu sont sans repentance » (Rm 11, 28-29). Paul se rend
parfaitement compte de la difficulté et de la fécondité de cette
doctrine : « O abîme de la richesse, de la sagesse et de la science
de Dieu — que ses décrets sont insondables et ses voies incompréhensibles » (Rm 11, 33). Mais à force d'affirmer qu'Israël est
l'ennemi de Dieu, Marcion oublie sa gloire et ne voit aucun mystère à ce que Dieu l'ait abandonné.

Pour comprendre l'attitude de Marcion à l'égard de l'Ancien
Testament, il est nécessaire de se rendre compte qu'elle est fondée
sur un dualisme radical. Marcion a essayé d'interpréter la pensée
paulinienne en fonction de son opinion personnelle qu'il existe deux
Dieux : le Dieu juste de la Loi qui a créé le monde et qui est le
Dieu des Juifs, et le Dieu Bon qui est le Père de Jésus-Christ.
Rien de tel n'apparaît dans la doctrine chrétienne à qui lit le Nouveau Testament sans idée préconçue et c'est seulement au prix de
corrections arbitraires du texte que Marcion a réussi à démontrer

que son opinion se fondait malgré tout sur le Nouveau Testament. Il a trouvé d'abord des interpolations dans les Épîtres de Paul et il s'est rendu compte qu'il pouvait, en les corrigeant, les faire parler en son propre langage. Quant aux Évangiles, seul celui de Luc trouvait grâce à ses yeux, et encore il aurait subi des interpolations. Celles-ci une fois dépistées, il faudrait encore ajouter un commentaire pour pouvoir y trouver la voix de l'Évangile authentique. Marcion l'a fait dans ses *Antithèses* où il commente à la fois l'Évangile et celui qu'il appelait « l'Apôtre ». Ce commentaire, que Tertullien cite à l'occasion dans ses livres IV et V, est ordinairement littéral. Comme l'a fait remarquer Harnack, il interprète l'Évangile en fonction des idées principales des Épîtres aux Romains et aux Galates. Il est probable que le jugement de Tertullien (*Adv. Marc.* IV, 7 : « Il préférait éliminer un passage comme interpolation que l'expliquer » est trop sévère, car l'Évangile sur lequel Marcion a travaillé était peut-être plus court que notre Évangile de Luc [3]. Mises à part un petit nombre d'interprétations nettement forcées par lesquelles Marcion essaye d'introduire sa théorie des deux Dieux ou d'un Jésus irréel, son exégèse est sensée et fidèle au texte. Il insiste sur la nouveauté de l'Évangile et sur le fait qu'il s'adresse à toutes les nations, et il remarque que beaucoup des premiers disciples l'ont mal compris. Mais son interprétation finale de l'Évangile montre jusqu'à quelles extrémités pouvait conduire sa théorie. On voit dans Luc (24, 39) Jésus ressuscité montrer son corps de chair en disant : « Un esprit n'a ni chair ni os, vous voyez que j'en ai. » Marcion est convaincu que ce passage a été mal compris. Il propose de lire : « Un esprit tel que vous voyez que je suis n'a ni chair ni os » (*Adv. Marc.* IV, 43).

Non seulement Marcion dénie à l'Ancien Testament la qualité de livre chrétien mais il tient à en donner une interprétation littérale pour en souligner la grossièreté. Non, ce ne peut être là un livre chrétien et à son avis aucune exégèse allégorique ne pourrait le rendre tel. Jésus a détruit les prophètes et la Loi (Irénée, *Adv. Haer.* 1, 27, 2 ; 1, 217 Harvey). Un intéressant exemple de la rigueur logique de Marcion apparaît dans son analyse de la Descente *ad Inferos*. Jésus a prêché aux morts d'Israël mais tous ne l'ont pas écouté, il a sauvé Caïn, les gens de Sodome, les Égyptiens, en un mot des pécheurs de toute espèce parce qu'ils sont venus à lui et ont été reçus dans son Royaume, mais tous les Justes, y compris les patriarches et les prophètes, n'ont pas été sauvés. Ils croyaient que, selon son habitude, Dieu les mettait à l'épreuve. Voilà bien la justification par la foi, ô paradoxe ! Avec ce genre d'exégèse on ne pouvait accorder aucune valeur à l'Ancien Testament.

Épiphane (*Pan.* 42, 2 ; 11, 95 Holl) raconte une histoire qui peint très bien l'attitude de Marcion à l'égard de l'interprétation de l'Ancien Testament : il avait demandé aux anciens de l'Église de Rome d'expliquer la parole évangélique du vin nouveau mis dans de vieilles outres et de la pièce neuve mise à un vieil habit. On lui répondit non sans pertinence que les vieilles outres représentent le cœur des pharisiens et des scribes, et, de façon cette fois plus contestable, que le vieil habit sur lequel était cousu la pièce neuve était Judas Iscariote. Marcion n'était pas du tout d'accord avec ces interprétations. Et il faut reconnaître que beaucoup de ses contemporains ne percevaient plus le caractère neuf du christianisme. Ils avaient oublié qu'il est radicalement différent de ce qui l'avait précédé. Il n'en reste pas moins que Marcion lui-même n'a pas réussi à conserver une idée exacte de la continuité qui lie le message chrétien à sa préparation au sein d'Israël. A ce point de vue, même les absurdités typologiques de Barnabé sont plus satisfaisantes. En effet elles rendent évident le fait que sans l'Ancien Testament il n'y aurait pas pu y en avoir un Nouveau.

L'un des tout premiers adversaires de Marcion et qui est aussi l'un des principaux apologistes chrétiens du IIe siècle est Justin le Martyr[4]. Sa pensée nous apporte une première esquisse de ce qu'allait devenir l'enseignement chrétien classique concernant l'Ancien Testament. A l'opposé de Marcion, Justin rejette l'idée d'une coupure radicale entre le christianisme et les autres manifestations de l'Esprit de Dieu dans le monde. Il soutient que tout ce qui témoigne de Dieu peut être qualifié de « chrétien ». Il proclame que même des philosophes comme Socrate et Héraclite méritent vraiment le nom de « chrétiens » (*I Apol.* 46, 3 ; p. 508 Good-speed). Pour Justin il n'y a qu'une différence de degré dans la révélation divine telle qu'elle apparaît dans l'Ancien Testament et les sommets de la philosophie grecque d'une part, et dans le Christ d'autre part. Il insiste sans cesse sur le rôle pédagogique du Logos tant parmi les prophètes et les philosophes qu'incarné en « notre maître » Jésus-Christ.

C'est dans son *Dialogue avec Tryphon* que Justin expose longue-ment la façon dont il comprend la signification de l'Ancien Testa-ment. L'ouvrage se présente comme le compte rendu de deux jours de discussion entre Justin et un savant rabbin du IIe siècle. Chacun cherche à convertir l'autre et pour conclure on constate amicale-ment l'impossibilité d'un accord. Le point de départ de la discus-sion est l'appel adressé par Tryphon à Justin : « Fais-toi circoncire, observe ensuite le Sabbat, les fêtes et les néoménies, accomplis ce qui est écrit dans la Loi, et alors sans doute obtiendras-tu de Dieu miséricorde. » En opposition à la croyance chrétienne il ajoute : « Mais le Messie, à supposer qu'il soit né et qu'il existe quelque part, est inconnu ; il ne se connaît même pas lui-même et il n'a aucune puissance tant qu'Élie ne sera pas venu l'oindre et le manifester à tous » (*Dial.* 8, 4 ; p. 100 Goodspeed).

L'apologiste chrétien doit examiner avec soin jusqu'à quel point les chrétiens ont à se soumettre à cette Loi. S'appuyant sur des réflexions antérieures, Justin expose une exégèse de l'Ancien Tes-tament à la fois christocentrique et historique. Il ne nie pas la réa-lité historique des rapports de Dieu et d'Israël, mais il insiste sur l'idée que l'Ancienne Alliance elle-même s'attendait à être dépas-sée un jour.

Justin montre d'après les écrits des Prophètes que ceux-ci atten-daient une nouvelle alliance avec Dieu qui se substituerait à l'an-cienne. Les patriarches ont été sauvés sans la circoncision, sans obser-ver le sabbat ni aucune des lois concernant la nourriture et les sacrifices. Plus encore, en ce qui concerne le Messie l'Ancien Testa-ment lui-même prouve qu'il devrait avoir deux avènements, l'un dans la pauvreté, et qu'alors il serait rejeté — et celui-là s'est déjà produit —, et l'autre dans la gloire, et qui demeure encore dans le futur. L'interprétation typologique de nombreux passages de l'Écriture permet à Justin de montrer que Jésus était bien le Messie attendu. Et il accuse les Juifs d'avoir fait disparaître des Écritures certaines des meilleures preuves (*Dial.* 72 sq).

Mais quelles « preuves » avance-t-il ? Le *Dialogue* (77 sq) fournit un exemple malheureux de sa méthode de démonstration :

TRYPHON : ... Je te réclame aussi de fournir la démonstration de ce passage que tu as souvent mis en avant... car, pour nous, nous prétendons qu'il est dit d'Ézéchias.

JUSTIN : Je vais le faire, mais vous, démontrez-moi d'abord qu'il a été dit d'Ézéchias qu'avant de savoir appeler papa, maman, ce roi a pris la puissance de Damas et les dépouilles de Samarie devant le roi des Assyriens (Is 8, 4)... Il vous est démontré que cela n'est jamais arrivé à un Juif ; et à nous que cela s'est produit en notre Christ. Dès qu'il fut né, des mages arrivés d'Arabie l'adorèrent ; ils étaient allés auparavant trouver Hérode... que le Verbe appelle roi d'Assyrie à cause de ses dispositions athées et impies. Car vous savez que souvent l'Esprit-Saint dit ces choses en paraboles et similitudes... Car la parole d'Isaïe... signifiait que la puissance du mauvais démon qui habitait à Damas serait vaincue par le Christ au moment même de sa naissance et c'est ce qui est manifestement arrivé. En effet les mages, qui comme des « dépouilles » avaient été emmenés vers toutes sortes de mauvaises actions auxquelles les avait poussés ce mauvais démon, vinrent, adorèrent le Christ et apparurent dégagés de cette Puissance qui les avait conquis comme on conquiert des « dépouilles » et qui, suivant l'indication mystérieuse du *verbe*, habitait à Damas. « Et cette Puissance étant pécheresse et injuste, c'est à bon droit qu'il l'appelle par parabole Samarie. Quant à ce que Damas ait été et soit encore du territoire d'Arabie... personne même parmi vous ne peut le nier. »

Il est difficile de prétendre trouver dans cette preuve beaucoup de logique ni de pénétration. Le manque d'enthousiasme de

Justin pour Samarie vient peut-être de ce qu'il y est né[5]. Penser que tout ce galimatias prétend démontrer que la prophétie d'une naissance miraculeuse s'applique à Jésus est vraiment pénible. C'est dépasser la mesure en fait de typologie ! Irénée nous donnera plus tard une interprétation en général beaucoup plus raisonnable. Mais nous ne devons pas oublier que c'est grâce à Justin et à d'autres doués de méthodes exégétiques analogues que l'Ancien Testament a été conservé dans l'Église chrétienne.

Une analyse plus systématique de la signification de l'Ancien Testament est la *Lettre à Flora* du valentinien Ptolémée, conservée par Épiphane dans son *Panarion* (*Pan.* 33, 5 sq ; I, 450 sq Holl)[6]. C'est un exposé de théologie clair, calme, dénué de polémique et destiné à convaincre Flora (c'est-à-dire peut-être l'Église romaine) de s'engager dans la voie fleurie du gnosticisme valentinien en mettant l'accent, pour commencer, sur les idées que les chrétiens les plus orthodoxes avaient en commun avec les gnostiques. La source fondamentale en matière d'autorité dogmatique se trouve pour Ptolémée dans « les paroles de notre Sauveur, les seules qui puissent nous mener sans risque d'erreur à l'intelligence de la Vérité » (3, 8). Suit une analyse claire et précise de la Loi telle qu'on peut la comprendre d'après les enseignements de Jésus : « Tout d'abord il faut savoir que cette Loi contenue dans le Pentateuque de Moïse n'a pas été promulguée dans son ensemble par un auteur unique, j'entends non point par Dieu seulement, mais qu'elle contient aussi quelques commandements d'origine humaine. Les paroles du Sauveur nous enseignent que la Loi se divise en trois parties » (*Lettre à Flora*, trad. Quispel, p. 51-53, par. 4, 1-2) :

« La première partie doit être attribuée à Dieu lui-même et à son activité législatrice ; la seconde à Moïse, non en tant qu'il fut inspiré par Dieu lui-même, mais en tant que, poussé par des considérations personnelles, il ajouta quelques commandements ; la troisième aux Anciens du Peuple qui dès le début paraissent avoir introduit d'eux-mêmes quelques préceptes dans le corps de la Loi. »

Puis vient la preuve de ces affirmations, tirée des paroles de Jésus d'après la tradition synoptique.

Bien entendu la partie la plus importante de la Loi est celle qui a été donnée par Dieu lui-même et Ptolémée la divise à nouveau en trois parties :

« La *législation pure* qui n'était pas mélangée de mal, la Loi dans le sens propre du mot, que le Sauveur n'est pas venu abolir mais accomplir (Mt 5, 17)... puis la partie *mêlée de mal et d'injustice* que le Sauveur a abolie parce qu'elle ne s'accordait pas avec sa nature ; enfin on peut distinguer *une partie typique et symbolique,* destinée à représenter le spirituel et le transcendant, qui a été transposée par le Sauveur du sensible et de l'apparent au spirituel et à l'invisible. Et la Loi de Dieu pure et franche de tout alliage inférieur, c'est le Décalogue... commandements purs mais imparfaits, qui avaient besoin d'être complétés par le Sauveur » (*Ibid.,* 5, 1-3 ; Quispel, p. 57).

D'autres prescriptions sont mêlées de mal et d'injustice, telles que les lois qui permettent la vengeance ; dans ce cas Ptolémée, s'appuyant sur le Sermon sur la Montagne, fait observer que ces prescriptions violent la pure et franche Loi de Dieu (Mt 5, 38). Enfin on peut distinguer une partie typique et symbolique. Toutes les prescriptions du culte juif ont maintenant un sens spirituel comme Paul le montre clairement lorsqu'il dit : « Notre Pâque le Christ a été immolée » (I Co 5, 7). L'analyse de Ptolémée est pénétrante, subtile même, elle mérite une étude détaillée. Nous ne pouvons ici que souligner ses traits essentiels. Son mérite est d'être systématique. Lorsqu'on passe de la confusion de la pensée de Justin à la clarté relative de celle-ci, on regrette d'autant plus qu'elle ne soit pas restée à l'intérieur du christianisme orthodoxe. Son analyse retient bien des éléments traditionnels. Ptolémée souligne le fait qu'il a reçu la vérité d'une tradition apostolique. Cette analyse est christocentrique. Comme ses contemporains plus orthodoxes, Ptolémée met un fort accent non seulement sur l'enseignement de Jésus mais aussi sur le fait qu'il a été préfiguré par l'Ancien Testament. Mais à s'en tenir à cet exposé exotérique qu'est la *Lettre à Flora,* l'importance des types et des symboles n'est pas exagérée. Ils constituent seulement la troisième partie de la loi divine. Le Décalogue en est la première[7].

Ne commettons pas l'erreur de considérer Ptolémée comme un exégète moderne. Le ton de la *Lettre à Flora* n'est pas le même que celui de son enseignement tel que nous l'expose Irénée. N'oublions pas que Ptolémée était un valentinien, d'où une exégèse souvent aventureuse. Le point de vue que nous trouvons exposé dans cette Lettre se retrouve aussi chez Irénée, mais ce dernier fournit de l'Écriture une interprétation mieux fondée. Il n'a pas besoin de torturer les documents pour les amener à exprimer sa doctrine. Ptolémée, il est vrai, ne le fait d'ailleurs pas dans la *Lettre à Flora* ; mais voici un autre exemple de son exégèse, fondée cette fois sur l'Évangile de Jean, qui nous le montre doué d'une imagination singulièrement fertile.

A la différence de la plupart des valentiniens de son temps, Ptolémée accepte l'Ancien Testament. D'autre part, Valentin lui-même a appliqué aux prophètes le texte de Jean (10, 8) : « Tous ceux qui sont venus avant moi sont des voleurs et des pillards. » Et il semble bien que, parmi les intellectuels chrétiens du II° siècle, une certaine répulsion à l'égard de l'Ancien Testament ait été assez générale. Pour un Grec cultivé c'était un livre déplaisant, sa législation paraissait grossière, sa morale, au moins en partie, bien immorale. Le Dieu qui avait parlé à Israël était indigne du respect des philosophes. Une œuvre comme *La Parole de Vérité* du païen Celse[8] reflète bien ces objections devenues banales, et cependant l'Église n'avait pas de réponse toute prête qu'elle pût opposer à ces critiques de façon réellement satisfaisante. Les intuitions pénétrantes de Paul et de l'auteur de l'Épître aux Hébreux donnaient satisfaction aux croyants qui se trouvaient déjà au sein de la communauté, mais l'Église était aussi très soucieuse de proposer sa foi à ceux de l'extérieur. La nécessité se faisait sentir d'une théorie des rapports entre l'Ancien et le Nouveau Testament qui permît d'interpréter les deux à l'usage du monde extérieur.

C'est grâce à Irénée qu'une telle présentation fut enfin rendue possible[9]. Il croyait fermement en l'importance de la tradition, et sa filiation spirituelle remontait à travers Polycarpe de Smyrne jusqu'à l'apôtre Jean. C'est à Lyon vers 180 qu'il composa ses cinq livres *La prétendue Gnose démasquée et réfutée.* Dans cet ouvrage, en grande partie dirigé contre les valentiniens et les marcionites, il expose ce qu'il considère comme le simple christianisme traditionnel. Valentiniens et marcionites s'accordent pour dire que l'Ancien Testament est l'œuvre d'un Dieu inférieur au Dieu du Nouveau Testament. Ceci amène Irénée à démontrer sur la base du Nouveau Testament que c'est le même Dieu qui se révèle également dans l'Ancien. Ses propres recherches sur la signification de l'Écriture jointes à l'influence exercée sur lui par des maîtres qu'il admire et qu'il suit [10] amènent Irénée à l'idée que c'est bien Dieu qui s'est révélé dans l'Ancien Testament et que l'Ancienne Loi était valable pour son temps, mais qu'il a plu à Dieu de se révéler maintenant d'une manière nouvelle. L'opinion d'Irénée concernant le rapport entre les deux Testaments est beaucoup plus historique que celle d'aucun de ses prédécesseurs. Pourtant, attaché comme il l'est à la tradition, il ne rejette pas les autres manières d'expliquer ces rapports et il amalgame les théories des autres à la sienne.

Au cours de son exposé il discute le problème de l'interprétation de l'Écriture. L'Ancien Testament est rempli de figures. Le « Trésor caché dans un champ » (Mt 13, 44), c'est le Christ caché dans les Écritures et révélé par des figures et des paraboles : « Car toute prophétie avant son accomplissement n'était qu'énigme et ambiguïté pour les hommes ; mais lorsque arriva le moment et que s'accomplit la prédiction, alors celle-ci trouva son exacte interprétation. Voilà pourquoi, lue par les Juifs à notre époque, la Loi ressemble à une fable : car ils n'ont pas ce qui est l'explication de tout, à savoir la venue du Fils de Dieu comme homme. Au contraire, lue par les chrétiens, elle est ce trésor caché naguère dans le champ mais que la croix du Christ révèle » (*Adv. Haer.* IV, 26, 1 ; II, 235 Harvey). C'est là la vraie exégèse qu'a enseignée le Seigneur lui-même après sa résurrection (Lc 24, 27). C'est selon cette méthode que la Bible doit être comprise dans l'Église. Quant à la méthode des valentiniens, Irénée la compare au génie destructeur d'un homme qui prendrait le portrait en mosaïque d'un roi pour en faire l'image d'un chien ou d'un renard (I, 8, 1, 67 ; I Harvey).

Mais c'est en examinant les arguments qu'il oppose à ses adversaires que nous pourrons le mieux discerner les principes d'exégèse propres à Irénée. Il leur adresse deux reproches essentiels : d'abord, ses adversaires négligent l'ordre et le contexte des passages qu'ils interprètent : ils isolent certaines phrases et certains mots et les interprètent à la lumière de leurs théories personnelles. Par exemple, dans le Prologue de l'Évangile de Jean, Ptolémée découvre les divers éons du système valentinien : le Père, la Grâce, le Monogène, etc. Irénée fait remarquer que l'apôtre n'a pas parlé de ces accouplements d'éons mais de Notre-Seigneur Jésus-Christ (I, 9, 2 ; I, 83 Harvey). Il trouve d'autres exemples de la même fantaisie exégétique chez ceux qui s'attachent à interpréter Homère : ils s'amusent eux-mêmes et divertissent les autres à combiner des vers extraits de l'*Iliade* et de l'*Odyssée* de manière à leur faire raconter une histoire entièrement nouvelle. De telles combinaisons peuvent tromper les simples, mais les lettrés compétents reconnaîtront que tel vers concerne Ulysse, tel autre Hercule, tel autre Priam, tel autre Ménélas ou Agamemnon (I, 9, 4 ; I, 87 Harvey).

Le deuxième grief d'Irénée contre les valentiniens est qu'ils rendent en sombre et obscur ce qui dans l'Écriture est clair et évident. C'est un fait : un seul article de foi se lit en toute clarté dans la Bible, à savoir « un seul et même Dieu a créé toutes choses par son Verbe » (II, 40, 2 ; I, p. 348 H). Or, comme par hasard, c'est là le seul article que les valentiniens refusent d'accepter. S'ils interprétaient convenablement l'Écriture, ils ne tireraient pas l'exposé de leurs doctrines des passages les plus mystérieux des paraboles et des allégories, mais bien de ceux qui sont clairs. Irénée ne prétend pas nier la multiplicité des sens de l'Écriture ni la possibilité d'une interprétation allégorique. Ce qu'il veut c'est éviter de « résoudre une ambiguïté par une autre ambiguïté » (II, 10, 1 ; I, 273 H).

Par-dessus tout, pour Irénée qui défend le courant principal de la foi chrétienne contre de redoutables adversaires, il n'existe qu'un seul critère d'interprétation correcte. Ce critère c'est la règle de foi telle qu'elle est conservée dans les églises qui l'ont reçue par la succession apostolique. Bien que cette idée n'ait été pleinement développée que plus tard[11], c'est à Irénée que remonte la doctrine d'une exégèse régie par l'Église. Selon lui on ne peut trouver la vérité qu'à l'intérieur de l'Église. Un passage bien révélateur nous montre son mépris pour l'enseignement des philosophes. Dans les faits de la nature « beaucoup de choses échappent à notre science et nous en laissons la connaissance à Dieu, lui qui doit l'emporter au-dessus de tous. Tenterons-nous d'expliquer la cause de la crue du Nil : nous pouvons dire bien des choses, les unes peut-être convaincantes, d'autres non convaincantes : ce qui est vrai, certain, solide, appartient à Dieu » (II, 28, 2 ; I, 350 H). De telles questions ne pourront jamais être résolues mais les chrétiens ont la règle de la foi qui est aussi celle de la vérité. S'ils ne peuvent trouver de solution à toutes les questions qu'on leur pose au sujet des Écritures, qu'ils en laissent le soin à Dieu car les Écritures sont complètes et parfaites puisque c'est le Verbe de Dieu et le Saint-Esprit qui les ont dictées (II, 28, 1 ; I, 349 H).

« La véritable connaissance c'est la doctrine des apôtres, l'antique organisme de l'Église répandu dans le monde entier ; la marque distinctive du corps du Christ consistant dans la succession des évêques auxquels ceux-là remirent chaque église locale ; parvenant jusqu'à nous une conservation non feinte des Écritures, un compte intégral de celles-ci sans addition ni soustraction, une lecture exempte de fraude, et, en pleine conformité avec ces Écritures, une explication correcte, harmonieuse, exempte de péril et de blasphème... » (IV, 33, 8 ; II, 262 sq H). La vraie manière de comprendre la Bible est l'enseignement des apôtres et quiconque veut apprendre doit lire l'Écriture avec les « presbytres » de l'Église, car ce sont eux qui détiennent la doctrine apostolique (IV, 32 ; II, p. 255 H). Toutes les autres interprétations se sont écartées de la vérité.

Avec l'enseignement d'Irénée l'interprétation de la Bible est entrée dans une nouvelle phase. L'interprète chrétien ne se contente plus désormais de faire appel aux intuitions de son inspiration comme c'était le cas pour les auteurs du Nouveau Testament ou pour ce qui est d'une évidence rationnelle (comme devait le faire l'École d'Alexandrie), mais il doit s'appuyer sur une autorité intérieure et extérieure à la fois. L'autorité de l'Église est extérieure parce qu'elle ne constitue pas l'Évangile, c'est l'Évangile qui a donné naissance et aux Écritures et à l'Église. Pourtant cette autorité est aussi intérieure car les Écritures sont les livres de l'Église et c'est à l'Église qu'a été confié le ministère de l'Évangile. Et lorsque l'Évangile est interprété par certains comme une sorte de théosophie, l'autorité institutionnelle de l'Église peut jouer un rôle important. Nous étudierons ce rôle dans un chapitre ultérieur (cf. p. 81 sq).

La manière dont Irénée analyse le rapport entre les deux Testaments n'a pas eu moins d'importance historique. En fait il a été le premier théologien chrétien à prendre au sérieux l'histoire biblique et à mettre en lumière la valeur permanente de la Loi. Il est bien de son époque, la fin du IIᵉ siècle, et pourtant ses vues profondes s'apparentent souvent à celles des temps apostoliques. Evêque de l'Église catholique il considère que la fonction essentielle de celle-ci est de transmettre la vraie tradition, c'est pourquoi il doit faire constamment appel à la révélation contenue dans l'Écriture. L'œuvre des apologètes n'est pas perdue, elle est simplement assimilée et corrigée.

Cependant l'œuvre d'Irénée n'est pas entièrement satisfaisante : si l'autorité de l'Église y est exaltée, la liberté de l'esprit humain tend à disparaître. Irénée était incapable de parler le langage des cercles cultivés d'Alexandrie. Et si les Écritures chrétiennes n'étaient pas seulement fondées sur l'autorité mais aussi sur la raison, il fallait que soit découverte une nouvelle forme d'interprétation. La grâce divine était sans doute nécessaire à l'exégèse, mais d'autres exigences s'imposaient aussi. Ces exigences allaient être exposées par l'École d'Alexandrie. Pourtant il ne faudrait pas croire que l'attitude d'Irénée ait été contredite par les Alexandrins. Pour lui comme pour eux l'Écriture renferme un grand mystère. Elle parle un langage de symboles. L'accent mis par les Alexandrins sur l'interprétation allégorique complète l'œuvre d'Irénée mais ne la supplante pas.

L'ÉCOLE D'ALEXANDRIE

Des travaux récents ont posé la question de savoir si on peut à bon droit parler d'une « école » exégétique d'Alexandrie. Philon le Juif n'a eu, semble-t-il, guère d'influence à l'intérieur de sa propre communauté, et Pantène, auquel on attribue la fondation de l'école chrétienne de catéchèse, est un personnage quelque peu obscur. Ce n'est qu'à l'époque d'Origène que l'école d'Alexandrie émerge vraiment dans la pleine lumière de la connaissance historique. Pourtant dans le domaine de l'interprétation scripturaire de fortes raisons nous incitent à considérer comme un ensemble le groupe des Alexandrins. Tous ont travaillé dans la même ville et y ont été pénétrés par la même atmosphère de richesse et de culture, tous ont pour une grande part observé la même attitude en face des difficultés de l'Écriture. Chacun d'eux s'est comporté avec loyauté à l'égard des traditions religieuses dans lesquelles il avait été élevé ou auxquelles il s'était converti, et pourtant leurs contemporains et plus tard des maîtres faisant autorité à l'intérieur de leur tradition les ont suspectés de s'être écartés de « l'orthodoxie ».

Étant données les limites de notre sujet, il nous suffira de mentionner brièvement Philon d'Alexandrie [1]. Ce n'est pas tant par la méthode qu'il emploie que Philon diffère des rabbins ses contemporains que par le principe fondamental qui sous-tend son œuvre alors qu'on ne le trouve pas dans les leurs. Philon a appris des stoïciens à pratiquer deux types d'allégorie, « physique » et « éthique ». Dans la première entraient les interprétations de l'Écriture concernant Dieu et la nature du monde, dans la seconde celle qui se rapportait à la conduite humaine. Par exemple, Philon et ses prédécesseurs s'accordent pour penser que le chandelier à sept branches représente en réalité les sept planètes (allégorie physique), tandis qu'Abraham et Sarah sont l'esprit et la Vertu (allégorie éthique) [2].

La nécessité de recourir à l'allégorie se trouve démontrée dans l'Écriture elle-même : « Il faut donc se tourner vers l'allégorie chère aux hommes qui ont le don de voir. En effet les oracles nous fournissent très clairement des raisons valables pour y recourir. Ils disent que les arbres du jardin (d'Éden) ne sont nullement semblables à ceux de chez nous, mais que ce sont des arbres de vie, d'immortalité, de connaissance et de compréhension, d'intelligence, de représentation du bien et du mal » (*Plant.* 36). Certains principes nous guident pour son application. Tout d'abord, dans certains cas, le sens littéral du passage ne doit pas être accepté. Par exemple, et c'est le cas le plus fréquent, tous les passages dont le contenu peut sembler indigne de Dieu : il faut donc les interpréter allégoriquement. Mais la méthode s'applique aussi aux passages difficiles à comprendre, soit qu'ils semblent historiquement invraisemblables, soit qu'ils contiennent quelque contradiction. Une fois exclu le sens littéral, on peut introduire un ou plusieurs sens allégoriques. Il est évident en général que tout écrit peut se comprendre de plusieurs manières, et Philon considère cela comme une justification de sa doctrine de la multiplicité des sens. Si une affirmation semble parfaitement évidente, c'est qu'en réalité elle contient un sens caché, plus profond. Or Philon pense, comme tous les Juifs de son temps, que les Écritures sont l'œuvre de Dieu : chaque expression, chaque mot, chaque lettre a donc sa signification. Mais à l'exemple des stoïciens il découvre ces sens cachés par l'étymologie, souvent très forcée, et par l'arithmologie. L'origine d'un mot peut en expliquer le sens et les nombres revêtent une signification particulière [3].

Qu'est-ce que Philon essaye de prouver par cette méthode d'exégèse ? L'apologétique est sa préoccupation fondamentale. Selon lui beaucoup des vérités du Judaïsme ne diffèrent pas, si on les comprend comme il faut, des plus hautes vérités de la philosophie grecque. Dieu s'est révélé au peuple élu d'Israël, mais pas d'une manière radicalement différente de celle dont il s'était révélé aux Grecs. Et c'est pourquoi Philon estime nécessaire d'évacuer l'apparent anthropomorphisme de Dieu et l'apparent exclusivisme d'Israël en faveur d'un Dieu des philosophes et de l'universalisme de l'homme hellénistique.

Les allégoristes les plus intrépides du IIe siècle ont été les gnostiques qui dans l'ensemble professaient un dualisme cosmique. Ils croyaient que Dieu qui, comme eux, considérait le monde créé comme une tragique erreur, avait choisi de se révéler à eux seuls à travers Jésus. Eux seuls pouvaient comprendre les mystérieuses paraboles et les paroles énigmatiques des Évangiles et autres documents chrétiens, car eux seuls étaient des êtres « spirituels ». Après avoir lu tels passages du Nouveau Testament avec le plus strict littéralisme, ils avaient beau jeu de proclamer ensuite qu'on n'en pouvait comprendre le sens qu'à la lumière des mythes gnostiques sur le monde spirituel, l'état de déchéance de l'homme et la rédemption de « l'étincelle divine ». Cela revient à dire qu'ils séparaient Jésus de l'Église et isolaient ses paroles du contexte fourni par les évangélistes, anticipant ainsi jusqu'à un certain point sur la critique moderne la plus radicale [4].

Cette négligence voulue du contexte est caractéristique des gnostiques aussi bien juifs que chrétiens. Par exemple l'Ancien Testament a été compilé et transmis par des gens qui croyaient en l'unicité de Dieu. Ils considéraient que Yaweh était le même Dieu qu'Elohim, El Shaddaï ou Yaweh Sabbaoth. Les lecteurs gnostiques au contraire niaient l'unicité de Dieu et soutenaient que ses différents noms étaient ceux de plusieurs divinités subordonnées au véritable Dieu, le Père Inconnu. De même ils considéraient le Père de Jésus comme tout à fait différent du méchant dieu créateur dont l'Ancien Testament dépeint les passions et les actions cruelles. Niant l'unicité de Dieu, ils niaient aussi l'unité de l'Église et se considéraient comme supérieurs aux chrétiens ordinaires qui étaient animés seulement par l'âme mais non par l'Esprit divin.

Tout cela n'était pas sans inquiéter les chrétiens orthodoxes qui ne pouvaient éviter de recourir aux commentaires gnostiques du Nouveau Testament. En effet les gnostiques paraissent bien être les premiers à en avoir fourni une exégèse relativement systématique. Comme nous l'avons vu, le valentinien Ptolémée n'a pas écrit seulement sur le Décalogue, mais aussi sur le Prologue de Jean. Un autre valentinien, Héracléon, publia le premier commentaire qu'on ait écrit sur cet Évangile[5]. Nous n'en possédons plus aujourd'hui que des fragments conservés par Origène dans son *Commentaire sur l'Évangile de Jean,* mais ils suffisent à montrer de quelle façon fantaisiste Héracléon maniait l'allégorie. Il lui arrive d'être modéré et raisonnable, mais la plupart de ses interprétations rejettent le sens littéral du récit du IV° Évangile pour y découvrir un symbolisme caché. Tout ce que dit et fait Jésus a une signification intemporelle qui a été révélée aux valentiniens. Si nous possédions l'Introduction à son *Commentaire,* nous pourrions savoir comment Héracléon justifiait sa position. Tout ce que nous savons, c'est que Valentin prétendait avoir été le disciple de Théodas, lui-même compagnon de Paul (Clément, *Str.* VII, 106, 4, III, 75 St). Il est probable qu'Héracléon tenait de lui la science et interprétait l'Évangile à sa lumière.

Mais c'est Clément d'Alexandrie qui a été le premier parmi les chrétiens à entreprendre de justifier la méthode allégorique et d'en expliquer le sens. Certes, sa pensée ne peut guère passer pour systématique. Son but n'est pas de construire un système théologique à la lumière de son interprétation de l'Écriture, mais simplement de se servir de celle-ci pour illustrer une pensée déjà élaborée. Il semble être venu au christianisme en écoutant un enseignement qu'il a accepté sans se poser beaucoup de questions. Et c'est lorsqu'il cherche à retrouver cet enseignement exprimé dans les paroles de l'Écriture qu'il commence à élaborer une théorie du symbolisme de la Bible. Il croit que toute l'Écriture s'exprime en un mystérieux langage de symboles (*Str.* VI, 124, 6, II, 494 St), exactement comme tous ceux, barbares et Grecs, qui ont parlé théologie ont recouvert d'un voile leur révélation de l'ultime vérité ;

ils n'ont pu la transmettre qu'à travers des énigmes, symboles, allé-gories, métaphores et autres figures analogues (*Str.* V, 21, 4, 11, 340 St). Moïse, Platon et les Égyptiens qui se servaient des hiéro-glyphes se sont exprimés de la même manière.

Lorsque Clément en vient à l'interprétation de l'Écriture, nous constatons que son exégèse est pratiquement fondée sur celle de Philon. Chaque mot, chaque syllabe de l'Écriture a son sens, mais comme elle est écrite de façon symbolique ce sens n'est géné-ralement pas le sens obvie. Le Père Mondésert distingue cinq manières possibles pour Clément d'interpréter les mots de son texte [6] :

1) Le sens historique. C'est ainsi qu'il comprend également les récits de l'histoire biblique.

2) Le sens doctrinal, moral, religieux et théologique selon lequel les textes bibliques sont censés exprimer la propre doctrine de Clément. Ces deux premières méthodes ne s'éloignent pas trop de l'exégèse littérale quoique l'atmosphère où se meut la pensée de Clé-ment l'empêche d'être trop terre à terre.

3) Le sens prophétique, qui comprend à la fois les prophéties proprement dites et les « figures » que, selon la tradition chré-tienne, Clément a trouvées dans l'Ancien Testament.

4) Le sens philosophique, qui doit beaucoup aux stoïciens et à Philon, comprend à la fois les sens « cosmique » et « psycho-logique » de l'Écriture. Par exemple les Tables de la Loi sym-bolisent l'univers, Agar et Sarah la philosophie païenne et la vraie sagesse [7].

5) Enfin il existe un sens mystique selon lequel par exemple la femme de Loth symbolise l'attachement aux choses terrestres, à l'impiété et aux impies, qui produit dans l'âme une sorte d'aveu-glement en face de Dieu et de sa vérité (*Protr.* 103, 4, 1, 74 St ; Mondésert, 2ᵉ édition, p. 171-172). Tous ces sens ne sont pas exclu-sifs et en fait Clément est capable de commenter un texte de deux ou trois manières en même temps. Mais on peut découvrir n'importe lequel de ces sens dans n'importe quel texte de l'Écriture.

Tels sont donc les sens selon lesquels, d'après Clément, l'Écriture peut être interprétée. Mais comment le lecteur choisira-t-il parmi eux ? Quel principe directeur guidera son interprétation ? Pour un fidèle de l'Église il ne pouvait y avoir qu'une seule réponse : la clé de toute l'Écriture c'est la foi dans le Christ, dans sa personne et dans son œuvre. Le Logos qui parlait dans l'Ancien Testament s'est pleinement révélé dans le Nouveau et le chrétien est capable de comprendre toute l'Écriture à la lumière de la connaissance apportée par le Christ. Ayant compris cela, il parviendra ensuite à la vraie *gnose* qui contient les vérités les plus hautes de sa religion. Il deviendra un gnostique.

En somme Clément baptise et christianise la méthode allégorique de Philon. Comme l'ont fait les chrétiens qui l'ont précédé, Clément pratique une interprétation christocentrique des Écritures et de l'Ancien Testament en particulier. Ouvert à des problèmes plus vastes il parvient à des conclusions plus variées que ses devanciers. Il sort en effet d'un milieu culturel plus élevé que le leur et si sa manière de traiter l'Écriture manque un peu de piété (encore qu'il soit toujours un chrétien fidèle), elle gagne en largeur de vue et en intérêt intellectuel et humain. Il reste que Clément n'est pas un grand théologien. Il n'a pas la rigueur de pensée nécessaire à l'élaboration de systèmes théologiques. Son esprit manque de précision et ne parvient pas à prendre à un sujet quelconque un intérêt suffisamment puissant pour aboutir à une synthèse dogmatique. Cette tâche était réservée à Origène dans son *De Principiis*.

Origène est le membre le plus remarquable de l'école d'Alexandrie, et c'est lui qui a exposé de la façon la plus complète et la plus précise les principes de l'allégorie chrétienne[8]. Il a été le premier alexandrin à enseigner la théologie sous les auspices de l'Église. Le quatrième livre de son *De Principiis* traite de l'inspiration et de l'interprétation de l'Écriture. Au début il entreprend de démontrer brièvement le fait que l'Écriture est inspirée. Il fait état de deux arguments :

1) Le succès même du christianisme que Jésus avait prédit démontre sa nature surnaturelle.

2) « Après la venue de Jésus l'inspiration des paroles prophétiques et la nature spirituelle de la Loi de Moïse sont apparues en

pleine lumière. » L'accomplissement de la prophétie est la preuve qu'elle était inspirée. Origène aborde ensuite la question de l'interprétation de l'Écriture et voici son argument fondamental : « L'intention principale étant d'annoncer l'enchaînement des vérités spirituelles au moyen du récit des faits et de l'exposé des lois, chaque fois que le Verbe a trouvé des événements historiques capables de traduire ces vérités secrètes, il les a utilisés, mettant le sens profond à l'abri des yeux du grand nombre ; quand, au contraire, le déroulement du récit, fait en vue du sens spirituel, n'aurait pas comporté telle action, qu'il fallait cependant écrire à cause de la signification secrète, l'Écriture a tissé dans la trame de l'histoire des événements qui n'ont pas eu lieu, soit invraisemblables, soit vraisemblables mais n'ayant pas eu lieu » (*De Princ.* IV, 2, 9, V, 321 sq K). Le but de l'Écriture est de révéler des « vérités intelligibles » plutôt que de montrer Dieu agissant dans l'histoire. Il peut même se faire que « l'histoire » dissimule les vérités. Et ce principe s'applique aux deux Testaments.

Il est très curieux de voir quels exemples fournit Origène à l'appui de ce principe. Dans l'Ancien Testament il juge inadmissible d'admettre le tableau des trois premiers jours de la création sans soleil ni lune ni étoiles, les activités agricoles de Dieu qui « plante un jardin », l'idée d'un vrai arbre « du bien et du mal », Dieu qui « se promène » dans le jardin et Caïn qui « s'enfuit de devant Jéhovah ». Et il y a des « milliers » d'exemples analogues. Les Évangiles sont eux aussi remplis de paroles de ce genre : le diable fait monter Jésus « sur une haute montagne » pour lui montrer de là « les royaumes du monde entier avec leur gloire » (Mt 4, 8) ; qui pourrait, parmi les gens qui lisent de tels passages sans négligence, donner raison aux lecteurs s'imaginant que l'œil du corps avait besoin d'une hauteur pour contempler les régions plus basses et qu'il a vu ainsi les royaumes des Perses, des Scythes, des Indiens, des Parthes, et combien leurs rois recevaient de gloire de la part des hommes ? Un lecteur attentif peut observer dans les Évangiles des milliers d'autres passages semblables et reconnaître que les récits d'événements littéralement exacts ont reçu dans leur trame d'autres événements qui n'ont pas eu lieu » (*De Princ.* IV, 3, 1). De plus, beaucoup des lois de l'Ancien et du Nouveau Testament ne peuvent être observées à la lettre. Ailleurs Origène se montre très impressionné par les contradictions entre les Évangiles et estime impossible de les interpréter historiquement. Il faudra donc ou bien en choisir arbitrairement un pour ne pas risquer de supprimer entièrement la foi dans l'historicité de Jésus, ou bien accepter les quatre et dire que leur vérité ne réside pas matériellement dans la lettre (*In Evang. Ioh.* X, 3, IV, 173 Pr). Pourtant, arrivé à ce point, Origène prend soin d'affirmer que certains passages de l'Écriture ont bien un sens littéral : « Les passages qui sont historiquement vrais l'emportent de beaucoup en nombre sur ceux (sans valeur historique) qui ne contiennent que des significations purement spirituelles » (*De Princ.* IV, 3, 4). Mais parmi les exemples qu'il donne, il n'y en a aucun tiré du Nouveau Testament, sauf les commandements de Jésus auxquels il faut obéir.

Pour conclure sa discussion sur les impossibilités, Origène fournit à ses lecteurs quelques avis détaillés sur l'interprétation de l'Écriture. Que faut-il faire en présence de passages difficiles ou ambigus ?

« Cependant le lecteur attentif hésitera parfois devant certains passages, n'étant pas capable de décider sans un examen très approfondi, si tel événement considéré comme historique a eu lieu, ou non, selon la lettre, et si l'on doit, ou non, observer telle loi selon la lettre. C'est pour cela que le lecteur doit scrupuleusement observer le précepte donné en ces termes par le Sauveur : « Scrutez les Écritures » (Jn 5, 39) et examiner soigneusement en quel endroit le sens littéral est exact, en quel endroit il est impossible, et dépister, dans la mesure du possible, en observant les mots semblables, la signification du passage qui est invraisemblable selon la lettre, signification éparse à travers toute l'Écriture » (*De Princ.* IV, 3, 14).

L'ensemble de l'Écriture a un sens spirituel, mais tout n'y a pas un sens littéral. En tout cas il est impossible d'en comprendre totalement les mystères. Quand Paul s'écrie : « O abîme de la richesse, de la sagesse et de la science de Dieu ! Que ses décrets sont insondables et ses voies incompréhensibles ! Qui en effet a jamais connu la pensée du Seigneur ? » (Rm 11, 34), il ne veut pas dire que cette pensée est difficile à découvrir mais qu'on ne parviendra jamais à en épuiser le sens : « Car aussi loin qu'on puisse pousser la recherche et progresser grâce à un zèle plus ardent, même avec l'aide de Dieu et l'esprit éclairé par lui, on ne pourra jamais parvenir jusqu'au but final qu'il faudrait atteindre » (*De Princ.* IV, 3, 14).

Tout dans la façon dont il manie la méthode allégorique manifeste le souci qu'a Origène d'insister sur la profondeur du mystère que recèle l'Écriture. La Bible ne nous parle qu'un langage de symboles. Et pour l'interpréter il faut un don de la grâce divine. L'Écriture elle-même enseigne qu'il faut la comprendre de plusieurs façons, car si on consulte les Septante, c'est-à-dire la version grecque de l'Ancien Testament dont se servaient tous les Pères grecs, on lit dans les Proverbes (22, 20-21) : « Et toi, écris-les trois fois avec réflexion et connaissance, pour que tu puisses répondre des paroles de vérité à qui t'interrogera » (*De Princ.* IV, 2, 4). Origène interprète ce passage à la lumière de la distinction tripartite faite par Paul de la personnalité humaine (I Th 5, 23) en « esprit », « âme » et « corps » et il conclut qu'il y a dans l'Écriture un sens « corporel » ou littéral, une « âme » ou sens moral et un sens « spirituel » allégorique et mystique. En pratique cependant Origène distingue peu le sens moral des deux autres et le plus souvent se borne à faire une distinction entre « la lettre » et « l'esprit » d'après la IIe Épître aux Corinthiens (3, 6) [9].

Mais pourquoi Origène est-il si pressé d'exclure le sens littéral de l'Écriture ? Souvenons-nous d'abord que sa façon de comprendre le sens littéral est différente de la nôtre. Celle qu'il qualifie de « littérale » est l'interprétation que pourrait donner de l'Écriture le plus borné des simples fidèles, celui qui ne comprend pas le sens des métaphores, comparaisons ou allégories et qui s'attache à leurs moindres détails comme s'ils étaient littéralement vrais. Des gens de cette sorte comprennent invariablement la poésie comme si c'était de la prose. Par exemple ils croient en la réalité matérielle de la Jérusalem céleste décrite dans l'Apocalypse de Jean. Les interprétations d'Origène sont en partie une polémique contre eux. Ces gens seraient incapables de comprendre une analyse littéraire d'un langage figuré. Origène est donc obligé d'insister sur les figures cachées derrière chaque verset, et plus encore sur chaque mot, chaque syllabe de l'Écriture. On comprend que cette méthode ne soit pas entièrement satisfaisante et puisse conduire à des excès dangereux. Mais pour son temps elle était d'une valeur inappréciable.

Comment un interprète peut-il être sûr que son exégèse est correcte ? Nous souhaiterions trouver un Origène plus circonspect, moins sûr de l'exactitude des interprétations allégoriques hardies qu'il propose. Il vaut pourtant la peine de remarquer avec Zöllig que nulle part dans ses écrits il n'affirme que son interprétation est absolument certaine [10]. Néanmoins il sait que l'exégète doit prier pour obtenir l'assistance divine et travailler de son mieux et le plus soigneusement possible. Origène propose aussi nombre de suggestions pratiques. Paul nous enseigne à rassembler et à comparer entre elles les différentes vérités spirituelles (I Co 2, 3). Observons les mots dont il se sert : il nous faut comparer des textes analogues lorsque l'un est (apparemment) littéral et les autres spirituels, et nous devons être guidés par la règle de la foi [11]. Mais sans la méthode allégorique nous ferions probablement beaucoup d'erreurs.

Tandis qu'Origène s'évertue à exprimer ce qu'il considère comme la foi chrétienne orthodoxe, les appuis philosophiques de la foi dont il se préoccupe tant ont tendance à altérer le contenu de cette foi. Nous pouvons supposer qu'à la différence d'Irénée et d'autres Pères de l'Église d'Occident, Origène ne recourt pas systématiquement à la règle de foi comme norme exégétique. Il compte beaucoup plus sur l'érudition personnelle et sur l'intelligence que sur la foi de l'Église universelle. Comme d'autres Alexandrins il est un intellectuel bien conscient de lui-même. C'est pourquoi il était difficile à l'Église d'accepter de bon cœur toutes les implications de sa théorie de l'allégorie.

Et pourtant son influence sur l'exégèse a été très grande par la suite. Tandis qu'il était violemment attaqué non seulement par l'École d'Antioche mais aussi par des hommes comme Jérôme et

Augustin, ses propres élèves poursuivaient son œuvre et même ses plus vigoureux détracteurs étaient souvent influencés par sa pensée. Jérôme est un exemple de cette attitude ambivalente : origéniste convaincu à ses débuts, il devint plus tard le plus féroce adversaire d'Origène. Celui-ci a exercé également une influence incalculable bien qu'indirecte sur l'exégèse allégorique du Moyen Age. Et l'Église grecque ancienne a profité de l'anthologie tirée de ses plus importants écrits exégétiques par Basile le Grand et Grégoire de Nazianze sous le titre de *Philocalia*.

Comment l'École d'Alexandrie avec Origène, son représentant le plus illustre, s'insère-t-elle dans l'histoire générale de l'interprétation ? Harnack a repoussé avec dédain l'œuvre d'Origène en la traitant d' « alchimie biblique » et beaucoup de ceux qui ont étudié les Pères de l'Église ont été de son avis. On peut dire aussi que sa méthode n'est pas aussi rationnelle qu'on pourrait le souhaiter ou qu'il pensait qu'elle était. Ses classifications ne sont pas vraiment convaincantes et ses « interprétations » spirituelles hautement subjectives. Mais aujourd'hui nous savons bien qu'il est vain de vouloir atteindre à l'objectivité absolue dans l'interprétation d'une œuvre de l'esprit humain. L'interprète introduit toujours quelque chose de sa propre pensée dans celle qu'il traduit. Et tant mieux pour lui si sa propre personnalité est aussi chrétienne que l'était celle d'Origène. De plus il ne faut pas oublier dans quelles circonstances Origène a écrit. La typologie christocentrique de Paul n'était plus valable comme méthode d'interprétation dans la cité d'Alexandrie. Celse avait déjà attaqué l'immoralité et la grossièreté des Écritures et Porphyre allait en faire autant bientôt. Les chrétiens aspiraient à être intellectuellement respectés et la plupart des écoles philosophiques acceptaient la méthode allégorique. Les résultats de l'enseignement d'Origène étaient des plus satisfaisants : « Des milliers d'hérétiques et un grand nombre de philosophes des plus célèbres s'attachaient à lui avec zèle, pour apprendre de lui, on peut presque le dire, non seulement les choses divines mais encore celles de la philosophie profane. En effet, tous ceux qu'il voyait naturellement bien doués, il les introduisait dans les disciplines phi-

losophiques, la géométrie, l'arithmétique et les autres enseignements préparatoires, puis il leur faisait connaître les sectes qui exis-
tent chez les philosophes et leur expliquait leurs écrits, les com-
mentait et les examinait en détail, de sorte que chez les Grecs
eux-mêmes cet homme était proclamé un grand philosophe. Ceux
qui étaient moins doués, en grand nombre il les menait aux études
encycliques, en disant que pour eux elles ne seraient pas d'une
petite utilité en vue de la connaissance et de la préparation aux
Écritures divines. Aussi estimait-il tout à fait nécessaire même pour
lui de s'exercer à la discipline profane et à la philosophie » (Eusèbe,
Histoire ecclésiastique, VI, 18, 2-4).

Dans cette description de l'œuvre d'Origène à Alexandrie, nous
apercevons tout un programme de culture chrétienne. C'est une
réponse à Celse qui accusait les chrétiens de ne pas souhaiter donner ni entendre les raisons de leur foi, mais de se contenter d'aller
répétant : « N'examinez pas mais croyez » (Origène, *Contra Cel-
sum*, I, 9). Comme d'autres chrétiens de son temps Origène fait
une distinction entre la sagesse du monde et la vraie sagesse ;
il proclame aussi que le chrétien ne doit pas être un fou mais un
fou par rapport à la sagesse du monde : « Il est beaucoup plus
important d'adhérer à une doctrine sur la base de la raison et de
la sagesse que sur celle de la simple foi » (*Ibid.*, I, 13).

A un moment critique de l'histoire de l'Église la méthode allégorique a permis de défendre la rationalité de la foi chrétienne.
Elle a servi à lutter contre l'obscurantisme. On peut mettre en
question non seulement ses assertions mais même ses résultats, pourtant il ne faut pas oublier tout ce que nous lui devons. Nous sommes redevables moins à la méthode elle-même qu'à l'esprit des
hommes qui s'en sont servis, car la méthode seule est inerte, c'est
grâce à l'esprit de l'interprète que son texte prend vie.

L'ÉCOLE D'ANTIOCHE

La méthode allégorique a rencontré une forte opposition à l'intérieur de l'Église. Comme nous l'avons vu, Marcion le Pontique l'a rejetée. Dès le début du III° siècle un évêque égyptien nommé Nepos a écrit une *Réfutation des Allégoristes*. Sous l'influence de ses maîtres juifs, Jérôme s'en est détourné peu à peu pour accorder un respect de plus en plus grand au sens littéral de l'Écriture [1]. Et il semble bien que partout où l'Église a subi l'influence de la Synagogue, un courant de littéralisme s'est dessiné dans l'interprétation de l'Écriture.

C'est certainement ce qui s'est produit à Antioche. La communauté juive y avait exercé pendant des siècles une influence considérable. La première œuvre exégétique de cette école que nous possédions, une interprétation de la Genèse par Théophile d'Antioche, est largement inspirée de maîtres juifs. On disait au III° siècle que le monothéisme rigoureux de Paul de Samosate lui venait de son association avec le Judaïsme. Le texte antiochien de l'Ancien Testament grec qu'on a souvent attribué à Lucien semble être le même que celui dont Josèphe s'était servi auparavant et qui semble avoir été d'un usage courant parmi les Juifs. Un peu plus tard nous voyons Dorothée, chef de l'École catéchétique d'Antioche, étudier l'hébreu, et Théodoret, disciple de Théodore de Mopsueste, critiquer son maître en l'accusant d'être plus juif que chrétien [2]. Naturellement tous ces interprètes rejettent la méthode allégorique.

Dorothée, nous dit l'historien de l'Église Eusèbe, interprétait les Écritures « avec modération », c'est-à-dire sans les allégoriser. Eustathe, évêque d'Antioche, a écrit un traité sur la *Sorcière d'Endor* contre Origène qui, chose curieuse, avait pris cette histoire au sens littéral. Eustathe reproche à la fois à Origène son littéralisme dans ce cas particulier et sa tendance ordinaire à l'allégorie. Un autre représentant de cette école, Diodore de Tarse, a composé un ouvrage intitulé *Quelle est la différence entre la théorie et l'allégorie.* La « Théorie » est, comme nous le verrons, le sens véritable du texte tel que le comprennent les Antiochiens. Enfin Théodore de Mopsueste lui-même a écrit un traité : *Concernant l'allégorie et l'histoire contre Origène.* Des différences profondes séparaient donc les deux écoles d'Antioche et d'Alexandrie et les Antiochiens défendaient avec vigueur leur point de vue.

Les Alexandrins s'appuyaient naturellement sur le fait que dans le 4ᵉ chapitre de l'Épître aux Galates Paul avait fait usage de l'allégorie. Mais les Antiochiens quant à eux expliquaient que, tout en employant le mot, Paul en fait n'utilise pas vraiment la méthode allégorique. Il y a, disent-ils, une grande différence entre ce que veulent dire respectivement l'apôtre Paul et les Alexandrins. Paul croit en la réalité des événements qu'il décrit et s'en sert comme d'exemples. Au contraire les Alexandrins dépouillent l'histoire biblique de toute sa réalité. Adam n'était pas vraiment Adam, ni le Paradis un vrai Paradis, ni le serpent un vrai serpent. S'il en est ainsi, demande Théodore, puisqu'il ne s'est rien passé réellement, puisque Adam n'a pas réellement désobéi, alors comment la mort est-elle entrée dans le monde et quel sens a notre salut ? Il faut que l'apôtre ait cru en la réalité des événements qu'il décrit, car dans l'Épître aux Romains (5, 18 sq) il se réfère à la désobéissance d'Adam, et dans la IIᵉ Épître aux Corinthiens (11, 3), à la séduction d'Ève par le serpent [3].

Le chapitre 12 de l'*Introduction aux Psaumes* d'Isho'dad date du IXᵉ siècle mais est largement basé sur la théorie exégétique de Théodore et expose clairement ses objections à la théorie d'Origène : « On demande quelle est la différence entre l'exégèse allégorique et l'exégèse historique. Nous répondons qu'elle est grande et pas petite ; tellement que la première conduit à l'impiété, au blasphème et au mensonge, tandis que l'autre est conforme à la vérité et à la foi. C'est l'impie Origène d'Alexandrie qui fut l'inventeur de cet art de l'allégorie. Versé dans les ouvrages des poètes et des platoniciens il croyait que l'Écriture Sainte aussi devait être expliquée à l'instar de leurs fables. Et de même que les poètes et les géomètres, quand ils veulent élever leurs disciples des choses matérielles et visibles aux choses cachées et invisibles, errant quant à l'éternité de la matière incorporelle et quant aux atomes indivisibles, disent : « Comme ce ne sont pas ces signes visibles qui sont signes de lecture, mais bien leurs sens cachés, ainsi des natures créées il faut s'élever par l'image de la pensée à leur nature éternelle » ; de la même manière cet insensé d'Origène enseignait que... les Psaumes et les Prophètes qui parlent de la captivité et du retour du peuple, il les expliqua de la captivité de l'âme loin de la vérité et du retour à la foi... Le paradis ils ne l'expliquent pas tel qu'il est, ni Adam ni Eve, ni aucune des choses existantes[4]. »

Après avoir exposé la nature de l'exégèse d'Origène, Isho'dad se met en devoir de la réfuter : « ... J'allègue un exemple qui suffira à montrer la nature des autres. Quand l'Apôtre écrit : « Cette pierre était le Christ », il montre clairement, disent-ils, que tout en paraissant être une pierre, en réalité cependant cette pierre était le Christ opérant secrètement pour le salut de ses semblables. De même à propos de Melchisédech ils prétendent qu'il était le Fils de Dieu ; parce que selon eux notre Sauveur n'a pas paru une seule fois en ce monde, mais plusieurs fois ; il s'est révélé aux différents siècles selon leur mesure propre et il a été avec tous. Il dut même venir pour les pierres inanimées, afin de délivrer ceux qui y étaient retenus.

Ils ne se sont donc pas aperçus, les insensés, que les apôtres, en citant les paroles de l'Ancien Testament, ne les citent pas d'une seule manière ; mais bien quelquefois pour en montrer l'accomplissement, d'autres fois par manière d'exemple pour l'exhortation et la correction des auditeurs, ou bien encore dans le but de confirmer la doctrine de la foi, quoique selon les circonstances historiques ces paroles fussent proférées pour d'autres buts.

Quand donc Notre-Seigneur applique à lui-même les psaumes 8 et 110 ; de même quand Pierre dans les Actes et Paul dans ses Épîtres appliquent à Notre-Seigneur ces mêmes psaumes ainsi que les Psaumes 2 et 45 ; ils les prennent dans leur sens véritable. Mais quand Notre-Seigneur dit sur la croix (Mt 27, 46) : « Mon Dieu, mon Dieu, pourquoi m'as-tu abandonné ? » (Ps 22, [Vulg. 21]... etc.), ces paroles sont dites par comparaison selon la ressemblance des événements, bien que, en leurs propres endroits, leur application soit différente. Or la différence qu'il y a entre ces choses, le contexte même la manifeste clairement à ceux qui veulent connaître la vérité[5]. »

Donc lorsque Paul cite l'Écriture c'est à titre de comparaison. C'est là un usage habituel dans le Nouveau Testament. Par exemple Moïse a élevé le serpent dans le désert : Jésus applique à lui-même cette figure (Jn 3, 14). Si Jésus lui-même avait été le serpent, comment aurait-il pu se comparer à lui ? « Quand Paul dit que toutes ces choses sont arrivées en figure (I Co 10, 11), il n'affirme pas que ceux auxquels arrivèrent ces choses et qui sont nommés n'en tirèrent aucun profit, et que toute cette chose fut faite à cause de nous[6]. » L'école d'Antioche a insisté sur la réalité historique de la révélation biblique. Ne voulant pas s'égarer dans un monde peuplé de symboles et de fantômes, elle était plus aristotélicienne que platonicienne. Alors que les Alexandrins emploient le mot « théorie » comme synonyme d'interprétation allégorique, les exégètes d'Antioche s'en servent pour désigner un sens de l'Écriture plus haut ou plus profond que le sens littéral ou historique, mais solidement fondé sur la lettre[7]. Cette façon de comprendre ne nie pas le sens littéral de l'Écriture, mais se fonde sur lui comme une image est fondée sur l'objet qu'elle représente et l'évoque à nos yeux. L'image et ce qu'elle désigne sont également réels. Il n'existe aucun sens caché que seul un gnostique pourrait comprendre. Jean Chrysostome remarque que « l'Écriture observe toujours cette loi : quand elle introduit une allégorie elle en fournit aussi l'explication[8] ».

Le sens du mot « théorie » apparaît avec la plus claire évidence dans la façon dont les Antiochiens comprennent les prophètes. Selon les Alexandrins, lorsque nous comprenons les prophéties de l'Ancien Testament se référant à la venue du Christ, nous ajoutons quelque chose à la portée originale du texte et c'est là une interprétation allégorique. Les Antiochiens rejettent cette idée : à leur avis les prophètes ont prédit à la fois les événements du futur immédiat de l'histoire de l'ancien Israël et la venue finale du Christ. Leur prédiction était donc à la fois historique et christocentrique. Elle contient un double sens, l'un historique, l'autre messianique. Et ce double sens n'est pas, comme le pensent les allégoristes, surimposé à un sens littéral original[9].

Le plus grand interprète de l'école d'Antioche, Théodore de Mopsueste, était aussi le plus original : il opère dans ses écrits une distinction entre des prophéties authentiquement messianiques et d'autres qui sont entièrement historiques. Quatre Psaumes font réellement allusion au Christ : ce sont les Psaumes 2, 8, 45 et 110. D'autres, le Psaume 22 par exemple, ont un sens historique à l'origine et ne peuvent être rapportés au Christ qu'en figure. Lorsque ses adversaires objectaient à Théodore que dans les *Septante* (l'Ancien Testament grec) le Psaume 22 avait pour titre « Pour la fin », ce qui est une allusion claire au Christ, il leur rétorquait que les titres de beaucoup de Psaumes ne sont pas authentiques[10]. Beaucoup d'autres prophéties de l'Ancien Testament, affirmait-il, ne se rapportent pas au Messie.

Mais que dire des livres, tant de l'Ancien que du Nouveau Testament, qui ne contiennent aucun élément prophétique, qu'il soit messianique ou historique ? Ils ne renferment que la simple sagesse humaine et Théodore est d'avis qu'ils soient exclus du canon de l'Écriture. Ils ne sont pas inspirés par l'Esprit-Saint. Le Livre de Job par exemple a été écrit après l'exil par un poète influencé par la culture grecque. Nous savons qu'il était poète parce qu'il a mis dans la bouche de Job, de ses amis et même de Dieu, des discours qui n'ont aucun rapport avec la réalité. Il connaissait la culture grecque parce que, selon les *Septante,* la troisième fille de Job s'appelle « Corne d'Amalthée » (Jb 42, 14). Malheureusement pour cet argument, ce mot est simplement un contresens sur le mot *qerenhappuk,* « corne à fard » qui est un accessoire de toilette. Mais Théodore était convaincu que la littérature sapientielle ne réflète qu'une sagesse purement humaine et ne saurait être incorporée au canon de l'Écriture inspirée. Certains livres historiques tels que les *Chroniques* et *Esdras* et *Néhémie* sont quant à eux purement historiques et doivent donc eux aussi être rejetés[11].

Théodore donne du Cantique des Cantiques une intéressante analyse : il fait remarquer qu'on n'y trouve aucune mention de Dieu et qu'il n'est lu publiquement ni par les Juifs ni par les Chrétiens. On pourrait le comparer au *Banquet* de Platon. La circonstance historique qui l'a inspiré est le mariage de Salomon avec la fille de Pharaon. Parvenu à ce point de la discussion, Théodore, soucieux d'une certaine respectabilité, insiste sur le fait qu'il s'agissait là non d'une passion sensuelle mais d'un mariage conclu en vue de la stabilité politique pour Israël. De plus, comme la princesse était noire de peau, donc assez peu prisée à la cour de Salomon, celui-ci a construit pour elle un palais et composé ce cantique afin qu'elle ne soit pas irritée et qu'aucune inimitié ne surgisse entre lui et Pharaon[12] !

En ce qui concerne le Nouveau Testament, Théodore a suivi la tradition orientale en refusant d'admettre les Épîtres catholiques à son canon des Écritures. Il repousse aussi l'Épître de Jacques, peut-être à cause de sa référence à Job (5, 11), mais plus probablement parce qu'elle s'apparente à la littérature sapientielle de l'Ancien Testament[13]. Son *Commentaire sur l'Évangile de Jean* reflète l'intérêt habituel qu'il porte à l'action du Saint-Esprit. Théodore savait bien que, d'après les Actes, le Saint-Esprit n'a été donné aux apôtres qu'à la Pentecôte et que même il ne leur a été promis qu'après les événements décrits par Jean (20, 22). Théodore en a donc conclu que les apôtres n'avaient jamais confessé la divinité du Christ pendant sa vie terrestre, car ils n'avaient pas encore reçu l'Esprit-Saint. Ils ont reçu cette foi le jour de la Pentecôte. Le titre de « fils de Dieu » ne signifie rien d'autre que « Messie », et même après la résurrection de Jésus les apôtres ne le qualifient pas de divin.

Lorsque Thomas s'exclame : « Mon Seigneur et mon Dieu » (Jn 20, 28), c'est un simple cri de louange qu'il adresse à Dieu (le Père) pour le miracle qu'il vient de voir[14].

L'œuvre exégétique de Théodore a été condamnée au feu par le Concile de Constantinople en 553. Non seulement il fut considéré comme responsable des erreurs christologiques de son élève Nestorius, mais aussi il avait nié le caractère inspiré de certains des livres que l'Église avait jugés canoniques. Mais cela ne mit pas fin à l'influence de l'école d'Antioche ni de Théodore lui-même : elle a été répandue par la suite dans l'Église non seulement grâce à deux commentateurs fameux, mais aussi par l'intermédiaire de deux manuels d'interprétation très répandus.

En premier lieu, Jean Chrysostome, archevêque de Constantinople, élève comme Théodore de Diodore de Tarse, a continué de faire usage de la méthode littéraliste de son maître dans ses sermons et ses commentaires. Tout en n'excluant pas de façon rigide l'usage de l'allégorie, il se borne habituellement à la typologie ; et même il critique la manière dont Paul parle dans l'Épître aux Galates (4, 24) : « C'est par excès de langage qu'il appelle ici le « type » allégorie. Ce qu'il veut dire c'est ceci : cette histoire (*scil.* de Sarah et d'Agar) ne signifie pas seulement ce que les mots paraissent dire, mais suggère aussi d'autres réalités. C'est en ce sens qu'elle est appelée allégorie. Mais que suggère-t-elle ? Rien d'autre que les réalités que nous voyons (à savoir les deux Testaments, l'Ancienne et la Nouvelle Alliance)[15]. »

Chrysostome reflète ici le concept antiochien de « théorie ». Ailleurs il explique les rapports entre les deux sens de l'Écriture au moyen d'un parallèle emprunté à l'art : « Car le type, tant que n'est pas venue la vérité, en reçoit le nom; mais quand la Vérité est là il ne le porte plus. C'est comme la peinture : un artiste a dessiné le portrait d'un roi ; tant qu'il n'y a pas appliqué les couleurs, on n'appelle pas cette esquisse " le Roi ", mais lorsqu'il l'a peinte, le " type " est rejeté dans l'ombre par la vérité et disparaît. C'est alors qu'on s'écrie : "Voyez, le Roi[16] ! ". » Le sens historique c'est l'esquisse, mais le portrait ne se trouve achevé que par le sens typologique. L'influence de Chrysostome s'est fait profondément sentir chez les exégètes plus tardifs. Ses interprétations constituent la source essentielle des chaînes, ces recueils de matériaux exégétiques. Saint Thomas d'Aquin a beaucoup admiré son œuvre.

Pourtant ce n'est pas seulement par Jean Chrysostome que cette influence s'est répandue mais par un exégète beaucoup plus savant, « le plus grand docteur de l'Église pour l'exposé des saintes Écritures », saint Jérôme. Jérôme n'était pas d'un littéralisme aussi extrême que celui de Théodore de Mopsueste, il était beaucoup plus proche de Chrysostome. Mais les lignes directrices de son exégèse se sont éloignées de plus en plus de l'allégorisation qu'à l'origine il avait admirée. Il en est venu à mettre l'accent sur la réalité historique des récits et des prophéties de l'Ancien Testament, position fondée d'une part sur ses études textuelles [17] et sa connaissance accrue de l'exégèse juive, et de l'autre sur l'école d'Antioche dont les sujets d'intérêt correspondaient exactement aux siens. On pourrait presque dire que l'école d'Antioche est responsable de l'élaboration de la Vulgate. Il faut rappeler cependant que Théodore de Mopsueste, comme d'ailleurs Augustin, regrettait de voir Jérôme s'écarter de la version grecque des Septante qu'il considérait comme inspirée [18].

Le premier commentaire de Jérôme était purement allégorique. Pourtant il subit à Antioche l'influence de la méthode littérale et historique que lui enseigna Apollinaire de Laodicée et demeura par la suite insensible à la séduction de la méthode allégorique, même présentée par le grand origéniste Grégoire de Nazianze. Si ingénieuse que fût l'allégorie, Jérôme insistait toujours sur la réalité du sens littéral. La signification profonde de l'Écriture devait se fonder sur lui et non pas y être opposée. Tout ce qui est rapporté dans l'Écriture s'est réellement passé et possède en même temps une signification plus qu'historique. Celle-ci est fondée sur l'*hebraica veritas,* c'est-à-dire la vérité du texte hébreu. Il faut que nous ayons une *spiritualis intelligentia,* une compréhension spirituelle de l'Écriture qui va au-delà du *carneus sensus,* le sens « matériel », mais ne doit pas être opposée à lui. C'est ainsi que par Jérôme le littéralisme antiochien a été transmis à l'Église, en quelque sorte au second degré [19].

L'influence de l'école d'Antioche s'y est aussi fait sentir plus directement par deux manuels d'interprétation qui nous sont parvenus et reflètent son point de vue. Le plus ancien est l'*Introduction aux Ecritures divines* écrit par un certain Hadrien probablement vers 425 [20]. C'est en grande partie une explication du sens des tournures hébraïques et de la phraséologie biblique. Par exemple il ne faut pas prendre à la lettre les anthropomorphismes, mais comprendre qu'ils se rapportent aux divers attributs de Dieu. A la fin de son ouvrage Hadrien fait remarquer qu'il y a dans l'Écriture deux styles, l'un prophétique, l'autre historique et que chacun répond à un dessein déterminé. Quant à l'interprétation elle doit être dans les deux cas d'abord littérale. Mais l'interprète ne doit pas en rester à ce stade, il doit poursuivre jusqu'à une compréhension plus profonde fondée sur le sens littéral. Pour conclure, Hadrien distingue entre poésie et prose et discute brièvement de la métrique en poésie [21]. Peu d' « Introductions » aux Écritures sont aussi raisonnables que celle-là.

L'autre manuel, *Instituta Regularia Divinae Legis*, dû à Junilius Africanus, est fondé sur l'enseignement de Paul le Perse et a été composé en latin vers 550. L'École nestorienne d'Édesse en Syrie avait conservé l'enseignement de Théodore, et lorsqu'en 489 l'empereur Zénon eut proscrit le nestorianisme elle se retira à Nisibe, en Perse, et y conserva les méthodes exégétiques d'Antioche. Paul le Perse était probablement métropolitain de Nisibe [22]. Venu d'Orient, l'enseignement de Théodore se répandit de la sorte en Occident. L'ouvrage de Junilius fut très populaire, Cassiodore le recommande peu après sa publication et durant la renaissance carolingienne il s'en trouvait des copies dans au moins cinq bibliothèques monastiques [23].

En Syrie et à Nisibe, les nestoriens avaient étudié l'œuvre herméneutique d'Aristote et inséré la typologie de Théodore dans les cadres aristotéliciens. Cette systématisation semble parfois vraiment excessive. Par exemple Junilius classe les figures de l'Écriture en quatre groupes : *grata gratis, maesta maestis, maestis grata, gratis maesta* (II, 17 ; p. 510 Kihn). La résurrection du Christ est une figure joyeuse de notre future et joyeuse résurrection (Col 3,

3). La triste chute de Satan est l'image de notre triste déchéance (II P 2, 4 sq) ; la triste chute d'Adam une figure de la justice joyeuse de notre Sauveur (Rm 5, 19) et le baptême joyeux est une figure de la triste mort du Seigneur (Rm 6, 3). Bien sûr qu'en réalité la typologie du Nouveau Testament n'est pas aussi simple que cela, et la quatrième catégorie paraît bien nous faire sortir de la typologie proprement dite. Voici comment Junilius distingue prophétie et type : « Dans les prophéties les événements futurs sont signifiés par des paroles (dans la mesure où les paroles en sont capables, mais dans les "types" les événements sont représentés par d'autres événements. Nous pouvons cependant ramener ces deux définitions à une seule et dire que la prophétie est un "type" en paroles), et d'autre part le "type" est une prophétie formulée en termes d'événements (en tant que connus comme tels) » (II, 16, p. 509). Pourtant l'interprétation de l'Écriture va au-delà de toute analyse grammaticale et doit être définie plus en profondeur. Elle est fondée sur les significations historiques mais ne se limite pas à celles-ci. « Que doit-on tenir présent à l'esprit pour bien comprendre les Saintes Écritures ? Que ce qui est dit doit convenir au personnage qui parle, ne pas détonner dans le contexte, s'accorder au temps, au lieu, à l'ordre (des événements), au but de l'Écriture. Que dire du but que s'est fixé l'enseignement divin ? Ce que le Seigneur lui-même a dit : qu'il faut aimer le Seigneur de tout notre cœur et de toute notre âme, et le prochain comme nous-mêmes » (II, 28 ; p. 256). On voit là l'influence du *De doctrina christiana* d'Augustin (voir plus loin p. 93) et l'apparition d'un principe dont celui-ci se servait pour justifier la méthode allégorique. Une autre affirmation de Junilius n'aurait pas déplu à Origène. Il dit en discutant des rapports de la raison et de la foi : « Ce que la raison enseigne la foi le comprend ; et là où la raison fait défaut, la foi ouvre la voie. Car nous ne croyons pas tout ce que nous entendons mais seulement ce que la raison ne désapprouve pas » (II, 30, p. 528).

Pourtant ce n'est pas pour justifier la méthode allégorique que Junilius se sert de ce principe, mais pour justifier Théodore de limiter le nombre des textes messianiques de l'Ancien Testament. Et quand il demande combien il y en a, nous ne sommes pas étonnés de constater qu'il en trouve le même nombre qu'avait avancé Théodore (II, 22, p. 518). Pourtant, à la différence de celui-ci, Junilius ne se hasarde pas à rejeter certains livres du canon de l'Écriture. Mais il distingue trois classes de livres, ceux de parfaite autorité, ceux de moyenne autorité et ceux qui n'en ont aucune. Ce dernier groupe comprend les ouvrages apocryphes que tout le monde rejette. Le deuxième comprend les livres que Théodore rejetait malgré l'opinion générale, et seul le premier groupe que Théodore n'a pas mis en question est considéré comme entièrement satisfaisant[24].

Ce canon restreint de Théodore et de Junilius n'a pas rencontré de succès auprès de la postérité encore qu'on puisse en rapprocher la décision prise par Luther d'exclure comme apocryphes les portions de l'Ancien Testament grec qui ne sont pas représentées en hébreu. Mais la méthode exégétique d'Antioche fondée sur la lettre et sur l'histoire a exercé une forte influence sur la pensée chrétienne des siècles suivants. On en trouve un reflet dans l'intérêt que le Moyen Age a porté à l'exégèse juive et dans l'interprétation de Thomas d'Aquin. Elle a été un des piliers de la Réforme. Les exégètes modernes ont loué la hardiesse de Théodore ; pourtant celui-ci n'est pas un « critique » au sens que le mot a pris chez nos historiens, et d'autre part il s'oppose totalement à certaines des intuitions typologiques du Nouveau Testament. Il n'en reste pas moins que sa méthode littérale et historique a fini par être reconnue dans l'Église chrétienne comme le fondement de toute exégèse véritable.

LA BIBLE ET L'AUTORITÉ DE L'ÉGLISE

Mais les exégètes chrétiens continuaient à se sentir mal à l'aise dans leurs conflits avec Marcion et les valentiniens. Des groupes minoritaires plus récents continuaient à faire appel à l'autorité de l'Écriture et souvent même semblaient y trouver leur justification. Les exégètes fidèles au courant principal de la tradition accusaient bien ceux demeurés à l'extérieur de détourner le sens obvie du texte, mais comme certains théologiens orthodoxes se servaient eux aussi de la méthode allégorique cette accusation perdait beaucoup de sa force. Tertullien va jusqu'à dire : « Il ne faut donc pas en appeler aux Écritures, il ne faut pas porter le combat sur un terrain où la victoire est nulle, incertaine ou peu sûre » (*Praescr.* 19, 1). Plus tard il est apparu que des hérésiarques comme Arius paraissaient bien avoir eu en leur faveur autant de textes de l'Écriture que n'en avaient leurs adversaires orthodoxes. Mieux encore : à l'intérieur même de l'Église, l'École d'Alexandrie et l'École d'Antioche étaient en conflit. Un théologien comme Méthode pensait faire ses interprétations « selon l'esprit des Écritures [1] ». Mais la plupart des auteurs orthodoxes ne manifestaient pas autant d'assurance. Ils sentaient le besoin d'une autorité extérieure qui fixerait de façon définitive la signification de l'Écriture.

C'est l'Église catholique qui est devenue cette autorité. C'est en elle que les Écritures ont été conservées par les héritiers légitimes des apôtres, c'est en elle qu'elles ont été convenablement interprétées à la lumière de la tradition orale transmise depuis les apôtres, et formulées dans la règle de la foi. Irénée, nous l'avons vu, expose cette idée dans son ouvrage contre les hérésies : « Puisque nous possédons la règle même de la vérité et un témoignage évident venu de Dieu, nous ne devons pas... rejeter cette connaissance de Dieu sûre et certaine en nous égarant à la recherche de telle ou telle solution de problèmes insolubles » (*Adv. Haer.* II, 28, 1, M. I, 349 H). C'est cette règle de foi transmise à l'intérieur de la succession apostolique qui permet de formuler une exégèse « légitime » et « sans risque d'erreur ». Les valentiniens pourront bien prétendre se rattacher eux aussi à une succession de docteurs remontant aux apôtres, mais l'historicité de cette tradition secrète est plus que douteuse. Nos listes d'évêques, conservées notamment à Rome et en Asie Mineure, nous rattachent aux apôtres sans solution de continuité.

Un tel principe d'interprétation possède évidemment de grands avantages. Pour qui se trouve à l'intérieur de l'Église il est naturel d'interpréter ses livres, les Écritures, en fonction de l'esprit même de l'Église. A une époque relativement ancienne de l'histoire ecclésiastique, alors que d'une part la foi de l'Église ne s'était pas encore beaucoup développée depuis les temps apostoliques, et que d'autre part tout le monde était à peu près d'accord sur la signification de l'Écriture, ce principe d'interpréter l'Écriture les yeux fixés sur la règle de la foi offrait une attrayante simplicité. C'est sur cette base commune que se rallièrent les défenseurs de l'orthodoxie contre Marcion et les valentiniens. A ce moment-là on ne pouvait guère envisager qu'une exégèse fondée sur ce principe pourrait aboutir à des résultats divergents.

De plus on pouvait se réclamer de Paul qui avait admis un tel principe d'interprétation. Le strict traditionalisme des Épîtres pastorales ouvrait la voie vers le point de vue que défendra Irénée, et une expression comme celle qu'on trouve dans la Ire Épître à Timothée (1, 8) : « Certes la loi est bonne si on la prend comme une loi » pourrait suggérer la possibilité d'une interprétation légaliste. Mais Irénée se contente de suggérer l'idée d'une interprétation « légitime » s'opposant à une « illégitime ». Il ne parle pas en termes de loi.

C'est Tertullien de Carthage qui a le mieux développé l'argument tiré du fait que l'Église se trouvait en pleine et paisible possession des Écritures. Il est possible, mais non certain, que Tertullien ait été lui-même un juriste. En tout cas il a étudié le droit romain avec un très vif intérêt. Dans son *De praescriptione haereticorum,* écrit vers 200, il expose les arguments dont il faut se servir pour retirer aux hérétiques le droit d'utiliser les livres de l'Église. Tertullien admirait Irénée auquel il devait beaucoup de sa manière de comprendre le christianisme, aussi ne sommes-nous pas surpris de le voir reprendre et développer un argument déjà utilisé autrefois par Irénée. Pour nous le morceau principal du *De praescriptione* est sa section centrale où, après un rapide avis pastoral adressé aux simples, Tertullien tire argument de la loi. Voici comment, au début du morceau, il présente sa cause : « Ils mettent en avant les Écritures et par leur audace ils font tout de suite impression sur quelques-uns. Dans le combat même ils fatiguent les forts, ils séduisent les faibles, ils laissent en les quittant un scrupule au cœur des médiocres. C'est donc ici surtout que nous leur barrons la route en déclarant "qu'ils ne doivent pas être admis" à disputer sur les Écritures. Si elles constituent leur force, il faut voir, pour qu'ils en puissent user, à qui revient la possession des Écritures, afin que celui qui n'a nul droit sur elles ne soit pas admis à y recourir » (*Praescr.* 15, 2-4) [2]. La réponse à cette question ne se fait pas attendre, l'Écriture appartient à l'Église : « Là où il apparaîtra que réside la vérité de la doctrine et de la foi chrétienne, là seront aussi les vraies Écritures, les vraies interprétations et toutes les vraies traditions chrétiennes » (*Praescr.* 19, 3) [3].

Cette analyse repose sur trois données fondamentales. D'abord Jésus est venu prêcher la vérité de la révélation ; puis il a confié cette vérité aux apôtres. Enfin les apôtres les ont transmises aux Églises apostoliques qu'ils ont fondées. C'est pourquoi seules les Églises qui sont des rejetons des Églises apostoliques possèdent l'enseignement authentique du Christ (*Praescr.* 20 sq). L'argument de Tertullien est pour l'essentiel le même que celui d'Irénée, mais exprimé avec plus de clarté et de logique. Les Écritures sont la propriété de l'Église.

Pour prouver que seule l'Église a le droit d'interpréter l'Écriture, Tertullien se sert de trois arguments principaux. Il appelle le premier *praescriptio veritatis,* la prescription de la vérité. Il existe entre les apôtres et les Églises apostoliques une unité de doctrine qui prouve que celles-ci possèdent la vérité, leur enseignement est unanime et conforme à celui des apôtres, les hérétiques ne sont pas d'accord avec eux (*Praescr.* 20-30). En second lieu la *praescriptio principalitatis* : la vérité est antérieure aux variations qu'on lui a fait subir, exactement comme le blé était déjà semé avant que le diable y ait ajouté l'ivraie. C'est dans l'Église qu'est conservé le pur froment (*Praescr.* 31-35). Enfin voici la *praescriptio proprietatis* : nous possédions les Écritures bien avant que les hérétiques aient eu l'idée de les utiliser : « De quel droit, Marcion, coupes-tu des arbres dans ma forêt ? D'où le prends-tu, Valentin, pour détourner mes sources ? Qui te permet, Apelles, de déplacer les bornes de mes champs ?... » C'est moi qui suis l'héritier des apôtres (*Praescr.* 37, 3, 5), je possède l'Écriture et je suis seul à la posséder (*Praescr.* 38-39).

Cette distinction entre trois types de prescriptions est plus apparente que réelle et uniquement destinée à renforcer l'argumentation. En fait celle-ci repose sur une base unique : la réalité même de la possession. La forme sous laquelle Tertullien la présente est empruntée au droit romain selon lequel le défendeur pouvait demander à un magistrat d'introduire au début d'un procès une « prescription » qui exigerait, avant le jugement d'une cause, la discussion d'une question préliminaire. Comme l'écrit Quintilien vers la fin du Ier siècle : « Lorsque le cas dépend d'une prescription il n'est pas nécessaire d'entrer dans le fond de l'affaire[4]. » La prescription par elle-même ne suffit pas en principe à faire triompher la cause qui devrait être examinée plus tard, mais cela peut avoir pour effet d'affaiblir à tel point la position du demandeur qu'il estime finalement inutile de continuer le procès. Ainsi Tertullien, défendant l'enseignement de l'Église contre des opposants qui soutiennent qu'il est différent de celui des Écritures, décide de discuter d'abord la question de savoir à qui appartiennent celles-ci. Comme il pense pouvoir, au cours de l'examen préliminaire, démontrer que les Écritures sont la propriété de l'Église et en même temps discréditer ses adversaires, il demande une prescription.

Nous avons déjà pu remarquer que l'insistance d'Irénée sur l'autorité de l'Église en matière d'interprétation ne l'oblige pas à choisir entre les deux exégèses allégorique et littérale. Il peut se servir selon les circonstances de l'une ou de l'autre méthode. Il en est de même pour Tertullien. Lorsqu'il estime que la foi de l'Église exige qu'il trouve la résurrection de la chair dans l'Écriture, il insistera sur une interprétation très littérale du récit de la résurrection chez Luc alors qu'en même temps il vide de son contenu allégorique le chapitre 15 de la Ire Épître aux Corinthiens en le traitant comme une allégorie. Comme le dit d'Alès : « La tendance qui domine dans l'exégèse de Tertullien est un *réalisme* parfois outré qui lui fait prendre toutes choses dans un sens *matériel,* sinon matérialiste, et, selon le mot de Bossuet, *corporaliser* les choses divines. En même temps qu'elle est réaliste à l'excès cette exégèse est étrangement *verbale,* c'est-à-dire s'attache aux mots, sans toujours pénétrer le sens [5]. » L'œuvre perdue de Tertullien, *De spe fidelium,* était elle aussi, comme il le dit lui-même (*Adv. Mc* II, 24), une « interprétation allégorique » et lorsque le sens évident de l'Écriture se trouvait être à l'opposé de ses idées personnelles il n'hésitait pas à s'en débarrasser par une interprétation allégorique. L'idée d'un développement, d'une révélation progressive telle que dès cette époque on pouvait déjà la trouver chez Clément d'Alexandrie [6], était naturellement étrangère à son esprit. A ses yeux la seule façon de choisir entre l'interprétation littérale ou allégorique de tel passage était de voir si son sens premier était ou non en accord avec l'enseignement de l'Église.

Tertullien a érigé l'orthodoxie comme norme d'interprétation de l'Écriture avant l'époque où l'influence d'Origène allait devenir prédominante. Comme on l'a vu, lorsque Origène fait usage du principe d'interprétation « selon la règle de foi », il l'entend de façon un peu différente des vues communément acceptées. Selon lui c'est à une compréhension vraiment philosophique de l'Écriture que doit tendre l'interprétation. Or Tertullien détestait la philosophie qu'il considérait comme la mère de l'hérésie. En appeler à l'autorité de l'Église avait pour but d'écarter les questions soulevées par une telle exégèse à tendance philosophique.

Mais écarter de telles questions n'était pas si facile. Même un théologien comme Méthode d'Olympe, fortement influencé par Irénée et Tertullien et anti-origéniste convaincu, ne pouvait pas en rester à l'autoritarisme simpliste de Tertullien. Méthode ressent la nécessité de confirmer par l'Écriture elle-même l'exégèse qu'en fait l'Église. Il faut, dit-il, que cette exégèse s'exerce « dans l'esprit de l'Écriture [7] ». Ce principe n'implique pas que le littéralisme soit la seule méthode possible. Il faut même dire que les littéralistes manifestent l'insuffisance de leur foi lorsqu'ils interprètent l'Ancien Testament : ils ne peuvent pas comprendre la richesse des biens à venir qui y était annoncée. La tour inachevée de Luc (14, 28) suggère à l'exégète que son œuvre doit être poursuivie jusqu'à l'achèvement, elle doit explorer les profondeurs cachées de l'Écriture [8]. Si celle-ci n'a qu'un sens littéral, pourquoi l'apôtre (Ep 5, 32) voit-il dans Genèse (2, 23) une référence à l'union du Christ et de l'Église ? Et pourtant Méthode voit clairement les dangers d'un excès de l'allégorie. Il ne faut pas chercher une interprétation spirituelle opposée au sens littéral, au contraire il faut prendre pour guide l'Écriture elle-même et en particulier les paroles de Jésus.

Malheureusement la théorie de Méthode n'est pas toujours applicable. Il consacre un ouvrage entier, le *De cibis iudaicis*, à montrer le sens allégorique des animaux purs et impurs de l'Ancien Testament. Il assure que Paul lui a donné l'exemple en écrivant : « Dieu se soucie-t-il des bœufs ? » Il se peut que Paul lui ait montré la voie, mais il est certain que l'exégèse de Méthode rejette le sens littéral de l'Écriture. Lorsqu'il rencontre une présentation indigne de Dieu ou une absurdité, il sent qu'il faut faire appel à l'allégorie. Et cependant il ne parvient jamais à montrer que le sens littéral est inadmissible. Méthode ne parvient pas à surmonter la tension entre les deux influences, allégorisation et littéralisme, qui ont modelé sa pensée. D'une part tout en réfutant Origène il demeure assez proche de lui, de l'autre il aimerait pouvoir tirer de l'Écriture la preuve de la rectitude de l'exégèse traditionnelle fondée sur l'autorité de l'Église. Mais il ne peut jamais y réussir [9].

Le *De doctrina christiana* d'Augustin fournit une analyse beaucoup plus profonde et complète des rapports entre l'Écriture et la théologie orthodoxe ainsi que de la nature de la méthode exégétique. Cette œuvre date en grande partie de 397. Mais avant de discuter il nous faut voir de quelle façon la recherche d'une méthode d'exégèse correcte a influencé la carrière d'Augustin. Ce n'est qu'après avoir découvert la méthode allégorique d'interprétation de l'Ancien Testament qu'il fut capable de devenir chrétien. Sa principale raison d'hésiter était que les Manichéens, parmi lesquels il avait fait un bref séjour, se servaient du littéralisme pour discréditer les patriarches de l'Ancien Testament en insistant sur les aventures immorales que leur attribuait l'Écriture. Les Manichéens... « demandaient d'où venait le mal, si Dieu était limité par une forme corporelle et portait cheveux et ongles, s'il fallait compter parmi les justes ceux qui avaient plusieurs femmes en même temps et pratiquaient l'homicide et le sacrifice des animaux [10] ». Ayant ainsi critiqué l'Ancien Testament, ils devaient se défendre contre la réponse catholique traditionnelle que le Dieu de l'Ancien Testament était le même que celui du Nouveau. Ils proclamaient, comme l'avait fait avant eux Marcion, que les Écritures du Nouveau Testament avaient été interpolées par des avocats de la loi juive ; et pourtant, remarquait Augustin, ils n'avaient pas à leur disposition de copies d'un Nouveau Testament qui ne fût pas ainsi retouché [11]. Marcion avait été plus prévoyant. Augustin mettait déjà en question les arguments de ses amis manichéens et était psychologiquement préparé à recevoir la réponse à ses problèmes exégétiques.

Cette réponse lui fut donnée par les sermons d'Ambroise, évêque de Milan [12]. Souvent, lorsqu'il prêchait sur l'Ancien Testament, Ambroise citait la parole de Paul : « La lettre tue mais l'esprit vivifie » (II Co 3, 6), et lorsqu'il expliquait les difficultés de la Bible, le « voile mystique » était enlevé des yeux d'Augustin. Des faits qui, pris littéralement, semblaient enseigner le mal pouvaient maintenant être compris dans un sens spirituel [13]. Et pourtant l'esprit d'Augustin ne pouvait pas se contenter d'un simple allégorisme. Comme d'autres interprètes de la tradition orthodoxe, il continuait de chercher un principe général qui permettrait de distinguer ce qui est allégorique de ce qui ne l'est pas. De plus, au cours de son évolution théologique, il en est arrivé à prendre de plus en plus de passages scripturaires dans leur sens littéral. La méthode allégorique ne lui a été qu'un marchepied vers une interprétation définitive de l'Écriture.

Nous n'étudierons pas ici le *De doctrina christiana* en lui-même, mais comme un exemple de l'interprétation ecclésiastique de l'Écriture. Augustin n'est pas un traditionaliste pur et simple, mais il se réfère toujours à l'autorité de la règle de foi. Et, suivant l'enseignement de Jésus sur la primauté de la loi d'amour (Mt 22, 40), il pense qu'il faut interpréter toute l'Écriture à sa lumière : « Quiconque donc s'imagine avoir compris les Écritures ou du moins une partie quelconque d'entre elles, sans édifier, par leur intelligence, ce double amour de Dieu et du prochain, ne les a pas encore comprises [14]. » De plus l'interprète doit retrouver la pensée des auteurs de l'Écriture plutôt que d'exposer ses opinions personnelles. L'Écriture ne ment pas. Donc pour comprendre l'Écriture une vaste et profonde compétence philologique est indispensable. Elle aidera en particulier à éclaircir les passages ambigus. L'exégète doit savoir distinguer le sens littéral du figuratif. S'il se trouve encore dans l'embarras, qu'il consulte la « règle de foi [15] ». Si deux solutions orthodoxes sont possibles, qu'il choisisse celle qui s'accorde le mieux avec le contexte.

En insistant sur la nécessité de l'étude et en attaquant ceux qui voudraient interpréter l'Écriture « sans (l'aide d')un guide humain [16] », il propose en fin de compte un double critère d'autorité : Avant tout l'Écriture elle-même qui, de la façon la plus claire, proclame la loi d'amour comme celle dont tout le reste dépend.

En second lieu la tradition de l'Église. Augustin adopte les points de vue d'Irénée et de Tertullien en les transposant un ton plus haut. Il n'est pas irrationnel, pourtant il est en même temps profondément soumis à l'autorité de l'Église.

En l'an 434, un prêtre du monastère de Lérins composa un *Commonitorium* qui met le point final à l'élaboration dans l'Église ancienne de cette conception d'une interprétation contrôlée de l'Écriture. Le principe général de Vincent est devenu fameux. En face des aberrations hérétiques et précisément parce que le sens de l'Écriture est si profond que tous ne l'entendent pas pareillement ni universellement, « il est donc bien nécessaire, devant cette erreur aux replis si variés, de soumettre l'interprétation des Livres prophétiques et apostoliques à la règle du sens ecclésiastique et catholique [17] ». Mais quel est le sens de « catholique » ? *Quod ubique, quod semper, quod ab omnibus creditum est* : ce qui a été cru partout, toujours et par tous. Il peut y avoir quelques exceptions. Après tout, à certains moments, les donatistes et les ariens ont paru constituer la majorité — mais c'est là la règle générale [18]. Car il n'y a qu'un Évangile, qu'une vérité qui a été transmise par la tradition de l'Église. Il y a des hérétiques qui soutiennent d'autres opinions, mais leur venue a été prédite par Moïse lorsqu'il a parlé du faux prophète qui voudra obliger Israël à suivre les dieux étrangers (Dt 13, 2). Dans le langage allégorique de l'Ancien Testament, « Dieux étrangers » signifie « erreurs étrangères [19] ».

Ce faux prophète, dit Moïse, « surgira au milieu de vous ». Il ne faut donc pas s'étonner de trouver à l'intérieur de l'Église des gens qui se sont écartés de l'interprétation vraie de l'Écriture. C'est le cas d'Origène qui se fiait trop à sa propre intelligence et de Tertullien qui n'était pas assez attaché à la foi universelle [20]. Quelle règle le catholique doit-il suivre pour éviter pareilles tentations ? Il doit se souvenir des paroles de Paul : « O Timothée, garde le dépôt, évite les discours creux et impies, les objections d'une pseudo-science » (I Tm 6, 20). Comme le remarque Vincent : « S'il faut éviter la nouveauté c'est donc qu'il faut s'en tenir à l'antiquité [21]. »

On peut alors se demander s'il est un progrès possible dans l'Église du Christ. Certainement : il y en a dans cette foi, mais pas de changements. La religion est comme le corps humain qui se développe et grandit mais demeure le même : « Cette loi du progrès doit s'appliquer au dogme de la religion chrétienne, de telle sorte qu'il se consolide au long des années, se développe dans le temps et qu'il soit exalté, de génération en génération, mais aussi de telle sorte qu'il demeure sans corruption, intact, entier, et parfait en chacune de ses parties [22]. »

Mais les hérétiques eux aussi font grand usage de l'Écriture : ils parcourent sans cesse la Bible à la recherche de citations car ils savent que, faute d'un tel arsenal, ils ne pourraient guère convaincre. C'était déjà ces hommes-là que fustigeait l'apôtre Paul dans la IIe Épître aux Corinthiens : Ces « faux apôtres, ces fourbes ouvriers qui se déguisent en apôtres du Christ » (II Co 11, 13). Car les apôtres invoquaient les textes de la Loi divine, les Psaumes, les prophètes, et ces gens-là aussi. Et Paul ajoute : « Rien d'étonnant à cela puisque Satan se déguise en ange de lumière » (II Co 11, 14). Cela veut dire que le diable en personne peut citer l'Écriture, ce qui ressort avec évidence du récit de la Tentation de Jésus [23].

Face à ces difficultés, que fera l'exégète catholique ? Qu'il suive la voie tracée au début de l'ouvrage de Vincent, et que lui ont transmise de saints et savants personnages. Ils interprètent le canon des Écritures « sous l'autorité de la Loi de Dieu puis sous la tradition de l'Église catholique ». On peut en effet trouver cette interprétation dans les décrets généraux d'un concile œcuménique et aussi dans l'accord unanime des docteurs autorisés. Cette règle ne prétend pas s'appliquer à « tous les petits problèmes de détail de la Loi divine », mais seulement aux questions relevant de la règle de foi. De même il ne faut pas attaquer toutes les hérésies de cette façon, cependant c'est par ce moyen qu'il faut réfuter celles d'origine récente qui tentent de faire usage de l'Écriture. Même un Augustin — que Vincent cite avec circonspection — doit se soumettre à l'autorité de l'Église universelle et de sa tradition [24].

Nous reconnaissons dans l'œuvre de Vincent une récapitulation des normes d'interprétation ecclésiastique de l'Écriture. Tout en condamnant Tertullien il reconnaît la valeur de sa théorie de la prescription et loue ses écrits parce qu'ils aident de manière certaine à triompher des ennemis de l'Église [25]. La théorie de la tradition qu'on trouve chez Vincent ne diffère pas beaucoup de celle de ses prédécesseurs, Augustin compris [26]. Il expose une théorie du développement légitime qui autorise le progrès dans l'étude de la Bible, mais son visage reste tourné vers le passé.

Alors qu'il se réfère aux décisions des conciles et aux interprétations concordantes des Pères, Vincent ne mentionne l'autorité du pape qu'en tant que gardien d'un dépôt. Il loue le pape Étienne d'avoir écrit à l'Église d'Afrique : *nihil novandum, nisi quod traditum est :* ne rien introduire de nouveau qui ne soit autorisé par la tradition [27]. Mais pour Vincent l'autorité du pape n'est pas l'autorité suprême : celle-ci, en matière d'exégèse, n'a été invoquée clairement qu'au XIIe siècle et a été plutôt exercée en pratique qu'exercée en théorie [28]. En proposant l'autorité de l'Église comme critère d'interprétation, le Concile de Trente ne mentionne pas l'autorité du pape, mais simplement le sens reconnu par l'Église et reconnu par le consensus unanime des Pères. Mais lorsqu'en 1870 le Ier Concile du Vatican a réaffirmé la décision du Concile de Trente, c'était sans nul doute en impliquant que la suprême autorité était celle du pape.

Il est évident qu'une certaine tension se manifeste entre l'insistance du catholicisme sur l'interprétation traditionnelle de l'Écriture et les efforts que peuvent déployer savants ou écoles exégétiques pour ouvrir des voies nouvelles dans l'étude de la Bible. A première vue le slogan *nihil novandum nisi quod traditum est* apparaît comme réactionnaire. Mais il faut considérer deux choses : en premier lieu, Écriture et tradition sont l'une et l'autre des réponses de l'Église au Verbe de Dieu incarné ; d'autre part, que de variétés au sein de ces diverses réponses ! Dès lors on ne voit pas comment la continuité du christianisme pourrait être assurée sans quelque chose qui ressemble à ce slogan ou à la direction vers laquelle il engage. La phrase ne se termine pas aux mots *nihil novandum*. La possibilité de positions neuves et fécondes demeure ouverte. Néanmoins si une continuité n'est pas maintenue, on comprend mal comment elles pourraient être qualifiées de chrétiennes.

La vraie question concernant l'autorité est de savoir si elle peut ou non s'exercer avec souplesse. L'autorité existe toujours : qu'elle s'appelle l'Église ou les églises, ou l'accord des spécialistes. Quant à la manière dont elle s'exerce elle dépend dans une large mesure des circonstances. Même dans le catholicisme les affirmations concernant l'autorité de l'Église sur les questions bibliques sont aujourd'hui très différentes de celles qui avaient été formulées dans le feu de la controverse moderniste (voir chap. 13) [29].

LA BIBLE AU MOYEN AGE

L'interprétation médiévale de la Bible est un sujet si vaste qu'il peut paraître présomptueux de tenter de l'exposer en un seul et bref chapitre. Et pourtant il ne contient que peu de nouveautés remarquables. Pour l'interprétation de la Bible le Moyen Age est une période de transition entre la vieille théologie exégétique des Pères de l'Église et le divorce entre théologie et interprétation biblique qui se manifeste dans l'œuvre de Thomas d'Aquin. Divorce que s'efforceront de refuser les réformateurs d'Oxford et Martin Luther.

Les matériaux pour l'étude de la Bible sont en gros restés les mêmes. On a continué à présenter ces matériaux hérités du passé sous la forme de chaînes, montages verset par verset d'extraits des commentaires bibliques dus aux Pères de l'Église. D'ordinaire on suivait une autorité principale, par exemple Jean Chrysostome, en lui ajoutant des extraits plus brefs d'autres interprètes. Mais la variété des chaînes les plus anciennes s'est beaucoup atténuée dans les collections médiévales qui voulaient suivre « la norme du sens ecclésiastique et catholique [1] ». De plus, les chaînes médiévales utilisent principalement les Pères latins : Hilaire, Ambroise, Jérôme, Augustin, l'exégèse grecque, trop subtile, étant quelque peu négligée, encore que la *Catena aurea* de Thomas d'Aquin fasse usage d'un bon nombre d'auteurs grecs.

Dans les écoles de la renaissance carolingienne un nouveau procédé, issu de la chaîne, s'est développé. Il s'agit de la « glose ». La chaîne s'était en général présentée selon une disposition marginale et même quelquefois entourant entièrement le texte. La glose de son côté était tantôt marginale tantôt interlinéaire, ou encore séparée et continue. Plus tard on introduisit des questions théologiques qui en vinrent à circuler de façon indépendante. A Paris, à la fin du XIIe siècle et au début du XIIIe, les gloses étaient prises par écrit par l'étudiant et approuvées par le maître dont les cours portaient à la fois sur le texte et sur la glose[2].

Avec l'usage de la glose dans l'enseignement nous touchons à un autre trait de l'exégèse médiévale qui peut sembler la différencier des méthodes de l'Antiquité : c'est le fait que l'Écriture est maintenant étudiée dans les écoles ; d'abord dans celles de la renaissance carolingienne, puis dans la bibliothèque de Saint-Victor à Paris et enfin dans les universités. Mais en fait l'étude de l'Écriture dans les écoles n'était pas une nouveauté. Il nous suffira d'évoquer l'œuvre d'Origène à Alexandrie pour réaliser qu'il s'agit dans ce genre d'étude d'une renaissance plutôt que d'une innovation. Les manuels d'introduction qu'on utilisait étaient tout à fait traditionnels : Cassiodore recommande Tyconius, le *De doctrina christiana* d'Augustin, Hadrien, Eucher et Junilius[3]. Son œuvre à lui a été utilisée par Isidore de Séville qui sera à son tour exploité par Hugues de Saint-Victor dans son *Didascalicon*, lequel est fondamentalement une refonte du *De doctrina christiana*[4]. Non seulement les nouveaux manuels étaient une refonte de sources anciennes mais ces dernières même continuaient à circuler[5].

En outre le recours à des autorités juives pour déterminer le sens historique d'un passage n'était pas nouveau. Depuis le temps de Théophile d'Antioche une forte influence juive s'était exercée sur les interprètes de l'Ancien Testament, en particulier sur Jérôme[6]. Mais au XIIe siècle on assiste à un renouveau d'influence de l'exégèse juive pour le sens historique de l'Ancien Testament. Comme l'a montré Miss Beryl Smalley, cette influence pénètre l'œuvre entière d'André de Saint-Victor[7]. Il met constamment l'accent sur l'importance du sens historique de l'Écriture tel que ses contemporains juifs l'ont compris. Par exemple, en discutant la source de l'Hexaméron de la Genèse, il dit : « Nous pouvons croire sans absurdité que les saints pères d'autrefois, Adam et ses descendants avaient soigneusement conservé le récit de la Création, l'entretenant par des récitations fréquentes et plus tard par écrit... et c'est ainsi qu'il parvint à la connaissance de Moïse[8]... »

Parfois l'intérêt qu'André de Saint-Victor porte aux interprétations juives l'entraîne à dédaigner les explications de ses prédécesseurs chrétiens. En commentant le passage d'Isaïe (7, 14-16), que les chrétiens avaient compris comme une prédiction de la conception virginale de Jésus, André prend parti pour les Juifs qui ont compris « jeune femme » plutôt que « vierge » pour le mot hébreu « almah », quoiqu'il ne le fasse qu'à regret : « Lorsque nous entrons en lice dans ce combat douteux, avec une force inégale, il est peut-être bon de céder du terrain... Continuons donc l'explication commencée du sens littéral. » Puis il poursuit en donnant l'interprétation juive[9]. Son contemporain Richard de Saint-Victor a écrit contre cette opinion son livre *De Emmanuele*, et lorsqu'un disciple d'André a pris la défense de son maître, Richard a écrit de nouveau sur le même sujet. André est un des deux auteurs qui, dans toute l'histoire du catholicisme romain, ont interprété de la sorte le passage d'Isaïe ; le second, au XVIIIe siècle, a rétracté son erreur[10]. Mais de telles difficultés n'ont pas notablement diminué l'intérêt que portait le Moyen Age à l'interprétation juive, bien qu'il ne l'ait plus jamais poussée aussi loin.

Pourtant la méthode d'interprétation biblique la plus importante et la plus caractéristique n'était pas littérale mais allégorique. A la fin de la période patristique et au Moyen Age s'est développé un système d'interprétation figurée selon lequel il fallait chercher dans chaque texte quatre sens différents. Quelquefois même on en trouvait jusqu'à sept, mais le nombre de sens le plus fréquent était de quatre[11]. Un distique qui circulait encore à la fin du XVIe siècle illustre ces quatre sens :

Littera gesta docet, quid credas allegoria
Moralis quid agas, quo tendas anagogia.

(La lettre nous enseigne les hauts faits du passé,
L'allégorie ce qu'il faut croire,
Le sens moral ce que nous devons faire,
L'anagogie le but vers lequel aller.)

Très largement répandue au Moyen Age, cette classification remonte quant à son origine jusqu'au temps d'Augustin et de Jean Cassien. On peut en fournir un bon exemple en l'appliquant aux versets de l'Épître aux Galates (4, 22 sq) : Là, « Jérusalem » peut se comprendre de quatre façons différentes :

1) Historiquement c'est la ville des Juifs,
2) Allégoriquement c'est l'Église du Christ,
3) Au sens moral c'est l'âme humaine,
4) Anagogiquement elle nous élève vers la cité céleste, notre mère à tous. Ce sens quadruple du mot « Jérusalem » est devenu classique et on le trouve non seulement à travers tout le Moyen Age mais même encore chez Nicolas de Lyre et dans les premiers écrits de Luther et de Mélanchton [12].

Dans la pratique courante, beaucoup d'interprètes ont limité leurs investigations à deux sens tandis que certains exégètes médiévaux des plus fameux se sont servis de trois d'entre eux dans l'interprétation de l'Écriture. Mais au IXᵉ siècle Raban Maur a développé une théorie sur l'importance du nombre 4 et plus tard la mystique franciscaine des nombres a encouragé l'usage d'une interprétation quadripartite. Beaucoup de Franciscains ont attaché une importance égale à chacun des quatre sens de l'Écriture. Cependant des Dominicains comme Albert le Grand et Thomas d'Aquin ont soutenu que le sens littéral devait être à la base des trois autres. Il est impossible de classer les interprétations selon l'ordre auquel appartenait leurs auteurs, car si le Franciscain Bonaventure insistait sur la primauté du sens littéral, le Dominicain Hugues de Saint-Cher, comme Dante, considérait les quatre comme d'égale importance.

Pourquoi une telle insistance au Moyen Age sur cette multiplicité des sens de l'Écriture ? J'en vois deux raisons : tout d'abord, au haut Moyen Age, et même plus tard pour beaucoup d'auteurs, aucune théorie satisfaisante des rapports de la révélation et de la raison n'avait été élaborée. Pendant toute l'époque patristique, la théologie avait été largement affaire d'exégèse. Les systèmes théologiques étaient des tentatives pour exprimer aussi largement que possible la parole de Dieu contenue dans l'Écriture. On n'employait que le moins possible la théologie naturelle. Il fallait donc découvrir, prédites et préfigurées dans l'Écriture, toutes les vérités que Dieu avait daigné accorder à son peuple. Selon Cassiodore les Psaumes étaient pleins des arts libéraux. En second lieu ce n'est pas seulement par les Pères grecs mais aussi par Augustin que la « vitalité du platonisme » est parvenue à influencer la vision chrétienne du monde, et on croyait généralement, comme l'a écrit Miss Smalley, que « l'Écriture comme le monde visible est un grand miroir qui réfléchit Dieu et par conséquent toute espèce de vérité[13] ». La parole de Dieu, sa volonté, n'étaient pas exprimées mais cachées dans l'Écriture, et celle-ci était comme les cathédrales médiévales qui parlaient au peuple un langage de symboles.

D'autres exégètes ne se contentaient pas de lire les symboles et de comprendre la nature de Dieu ou de l'homme mais tentaient de pénétrer les mystères de l'histoire. A la suite de Rupert de Deutz qui avait réussi à introduire la théologie chrétienne traditionnelle de l'histoire dans ses interprétations de l'Écriture, un moine cistercien appelé Joachim de Flore a vu dans l'Ancien Testament le livre du Père, dans le Nouveau Testament un livre du Fils et dans l'âge encore à venir et pas encore accompli, l'âge du Saint-Esprit. De même que Jean-Baptiste avait préparé la venue du Fils, Joachim croyait que Benoît avait préparé la venue de l'Esprit. Cette interprétation de l'Écriture aurait pu n'être qu'un exemple anodin d'enthousiasme monastique si un jeune Franciscain n'y avait en 1254 écrit une introduction pour soutenir que les œuvres de Joachim étaient l'Évangile du Saint-Esprit ! Après la mort de Joachim les spirituels franciscains l'adoptèrent pour maître, ils affirmèrent qu'il avait été le nouvel Élie faisant pour le Saint-Esprit ce qu'avait fait Jean-Baptiste pour le Christ. Ils calculèrent que le nouvel âge commencerait en 1270. Par malheur, vers la même époque une commission pontificale [14] condamna leur façon de comprendre l'Écriture. Une méthode d'exégèse nouvelle et plus sûre allait apparaître.

Depuis un certain temps déjà, l'importance de l'interprétation allégorique allait déclinant. Nous avons vu qu'André de Saint-Victor l'ignorait presque totalement. Un bon exemple de cette réaction contre l'allégorisme se trouve dans la remarque d'un critique à qui on avait enseigné que la couleur rouge de la vache sacrifiée était une préfiguration de la passion du Christ. « Ce le serait tout autant, dit-il, si la vache avait été noire — l'allégorie n'a aucune valeur, quelle qu'eût été la couleur de la vache on eût toujours trouvé une allégorie pour l'expliquer [15]. » Cependant l'interprétation allégorique a survécu largement dans la prédication. Mais pour une méthode théologique rationnelle, je dirais presque rationaliste, une attitude aussi subjective à l'égard de l'Écriture ne pouvait passer pour satisfaisante. Que veut dire Dieu lorsqu'il parle ? Cacher le sens de sa parole ou au contraire l'exprimer ? La conception aristotélicienne de la nature que la théologie venait d'adopter n'était pas favorable à l'idée de symbolisme. Et c'est pour cette raison parmi d'autres qu'on en est venu à accorder une plus grande importance au sens littéral de l'Écriture.

Le principal promoteur de ce sens littéral est Thomas d'Aquin, le philosophe et le théologien qui a exercé sur l'Église catholique la plus forte influence. La signification de l'Écriture a pour lui une importance toute particulière parce que, tout en accordant la plus grande place possible au raisonnement philosophique, il n'en accorde pas moins la première place à la révélation telle qu'elle est contenue dans l'Écriture : « La science sacrée fait même appel à l'autorité des philosophes, là où ils ont pu, par la raison naturelle, connaître la vérité. Ainsi Paul cite le mot d'Aratus (Ac 17, 28) : Comme l'ont dit quelques-uns de vos poètes, nous sommes de la race de Dieu. Toutefois la science sacrée n'apporte ces autorités que comme des arguments étrangers et probables. Au contraire elle est contrainte par sa condition même de faire appel à l'autorité de l'Écriture canonique pour en tirer des arguments. Quant à l'autorité des autres docteurs de l'Église elle l'invoque et en tire des arguments qui lui appartiennent en propre, mais qui ne sont que probables. Notre foi en effet s'appuie sur la révélation faite aux apôtres et aux prophètes qui ont écrit les livres canoniques, mais non sur la révélation — si elle existe — faite à d'autres docteurs [16]. » Seule l'Écriture est exempte d'erreur, c'est pourquoi nous devons être sûrs de ce qu'elle nous dit. Certes, elle se sert de métaphores, mais celles-ci peuvent se comprendre facilement et naturellement : « La science sacrée s'adressant à tous les hommes il est très convenable que les vérités divines soient exposées dans la Sainte Écriture au moyen de métaphores et d'images empruntées au monde corporel [17]. » La différence entre cette position et celle de Clément ou d'Origène est donc très marquée. Ces derniers auraient été d'accord avec Thomas dans leur recherche des « vérités spirituelles ». Car tous les deux, comme lui, pratiquent une approche rationnelle de l'Écriture. Pourtant par la façon dont il comprend cette approche, Thomas est beaucoup plus près de l'École d'Antioche que de celle d'Alexandrie. Il ne faudrait cependant pas exagérer la différence. Thomas ne rejette pas l'interprétation allégorique et en un sens Alexandrie aussi bien qu'Antioche peuvent le revendiquer pour leur héritier.

C'est dans la *Somme théologique* [18] qu'il s'explique avec le plus de détail sur l'importance historique du sens littéral de l'Écriture. Le lecteur moderne comprendra peut-être mieux si on cite d'abord les propres paroles de Thomas. Il prend comme texte la déclaration de Grégoire dans ses *Moralia* (XX, 1). « La Sainte Écriture par la façon dont elle parle transcende toute science parce que, dans une seule et même phrase, elle décrit un fait et révèle en même temps un mystère. » « L'auteur de la Sainte Écriture est Dieu qui a le pouvoir d'exprimer des idées non seulement par les mots (ce que l'homme lui aussi peut faire), mais encore par les choses. C'est pourquoi, alors que toutes les sciences se servent de mots pour exprimer des idées, cette science a ceci de spécial que chez elle les choses signifiées par les mots ont elles-mêmes un sens. Donc la première signification en vertu de laquelle les mots signifient des choses constitue le premier sens, à savoir le sens historique ou littéral. Quant à la signification en vertu de laquelle les choses signifiées par les mots signifient elles-mêmes d'autres choses, on l'appelle sens spirituel, lequel est fondé sur le sens littéral, et le suppose. Or le sens spirituel se divise en trois sens. En effet, selon ce que dit l'apôtre (He 10, 1), la loi ancienne est la figure de la nouvelle et, selon ce que dit Denys (*Hierarch. eccl.* 5, 1), la loi nouvelle est elle-même la figure de la gloire céleste. De plus, dans la loi nouvelle, les choses accomplies dans le chef sont les signes des choses que nous devons faire nous-mêmes. Donc le sens allégorique résulte du symbolisme par lequel la loi ancienne est la figure de la loi nouvelle ; le sens moral résulte du symbolisme par lequel les choses accomplies dans le Christ ou dans les figures du Christ sont les signes de ce que nous devons faire ; le sens anagogique résulte du symbolisme par lequel ces choses figurent ce qui a lieu dans la gloire éternelle. Mais puisque le sens littéral est celui qui est visé par l'auteur et que l'auteur de la Sainte Écriture est Dieu dont l'intelligence comprend toutes choses simultanément, « il n'y a pas d'inconvénient, dit saint Augustin (*Confessions,* 12, 31), à admettre plusieurs sens selon le sens littéral dans le même passage de l'Écriture [18] ». Visiblement dans cette dernière phrase Thomas ne veut pas dire qu'il existe dans l'Écriture plusieurs sens littéraux, mais que le sens littéral est la base sur laquelle on en peut légitimement construire les autres sens.

Cette théorie d'une pluralité possible des sens de l'Écriture soulève trois objections. La première est la plus sérieuse : « L'acception dans un texte de nombreux sens différents est une source de confusion et d'erreur et ôte à l'argumentation toute sa force. D'où il résulte que d'une multitude de propositions on ne peut déduire aucun argument mais seulement des erreurs. Mais la Sainte Écriture doit être capable d'affirmer la vérité sans aucune erreur. C'est pourquoi... » Et la réponse de Thomas met l'accent sur la primauté du sens littéral. « La pluralité de ces sens n'engendre ni équivoque ni complication. Voici pourquoi. La pluralité de ces sens, ainsi qu'il a été dit, ne tient pas à ce que le même mot a plusieurs significations, mais à ce que les choses elles-mêmes signifiées par les mots peuvent être les signes d'autres choses. Pour ce même motif la Sainte Écriture ne tombe pas dans la confusion puisque tous les sens sont fondés sur un seul qui est le sens littéral et que seul, à l'exclusion de tout ce qui est allégorie, le sens littéral est matière de démonstration, ainsi que le dit Augustin dans sa lettre contre Vincent le Donatiste. Pourtant il ne s'ensuit pas que quelque chose soit perdu dans la Sainte Écriture car le sens spirituel ne fournit rien en fait de vérités nécessaires à la foi qui ne soit enseigné ailleurs ouvertement par le sens littéral. » Ce texte apparaît comme une déclaration d'indépendance de la théologie à l'égard de la méthode allégorique.

La deuxième objection fait simplement remarquer le caractère confus et désordonné de la méthode allégorique et se demande comment on peut s'en servir. Les quatre sens d'Augustin ne semblent pas être les mêmes que les quatre communément usités. Thomas se contente d'expliquer ce qu'Augustin a voulu dire et de l'opposer à la classification d'Hugues de Saint-Victor. La troisième objection déplore la division quadripartite car le sens parabolique y a été négligé. Thomas répond que le sens parabolique est contenu dans le sens littéral. Celui-ci a trait au sens des mots qui peuvent être pris soit au sens propre soit au sens figuré. Le sens littéral n'est pas la figure mais la choses signifiée. Ainsi le sens littéral de l'expression « le bras de Dieu » n'est pas que Dieu a un bras mais a le sens de « puissance opérative ». Thomas conclut que « le sens littéral de la Sainte Écriture ne peut jamais contenir aucune erreur ». L'anthropomorphisme ne saurait prétendre comprendre le moins du monde les Écritures.

Un bon exemple de l'interprétation littérale de Thomas est fourni par la façon dont il résout la question traditionnelle de la nature du Jardin d'Éden qui, dès les premiers temps de l'Église, a divisé les exégètes, certains soutenant qu'il s'agissait d'un vrai jardin terrestre et d'autres lui donnant un sens spirituel. Voici ce que dit Thomas : « Les choses qu'on dit sur le paradis dans l'Écriture sont exprimées au moyen d'un récit historique. Donc dans tout ce que l'Écriture exprime de la sorte il faut prendre comme base la vérité (de l'histoire) et c'est sur cette base qu'on construira des commentaires spirituels. » En fait son exégèse du huitième chapitre d'Isaïe est si littérale qu'un commentateur ultérieur la qualifie d' « exposé juif tout à fait indigne de l'esprit de saint Thomas[19] ».

L'accent mis par ce second Moyen Age sur l'interprétation littérale de l'Écriture a eu des conséquences incalculables. D'abord l'étude de l'hébreu connut un grand développement et on vit se multiplier des commentaires littéraux et historiques de l'Ancien Testament. Conséquence plus importante encore fut l'abandon de la méthode théologique des Pères qui se manifesta par un divorce entre la théologie et l'exégèse. Le divorce fut immédiatement suivi (sinon même précédé) d'un second mariage de la théologie cette fois avec la philosophie. Il n'en resta pas moins du premier mariage des enfants qui n'étaient pas très contents de leur nouveau père. De nombreux faits viennent à l'appui de cette conclusion. D'abord la scolastique n'a triomphé que progressivement, ensuite, même en un temps où le goût pour l'allégorie paraissait avoir disparu, Nicolas de Lyra a exposé dans ses commentaires le sens spirituel aussi bien que le sens littéral, enfin la Réforme s'est présentée comme un retour à la théologie fondée sur l'exégèse.

En même temps qu'on mettait l'accent sur les études historiques se développait un désir d'objectivité. Il n'était plus question pour l'exégète de se prétendre directement inspiré par Dieu. Toute connaissance nous est transmise par les sens et l'interprétation de l'Écriture ne nécessite nullement une grâce intérieure particulière. Là encore on voit que la philosophie médiévale est plus rationaliste que les Pères de l'Église ou la Réforme. En fait elle est très proche d'un philosophe comme Spinoza. Et nous pourrons remarquer que Luther retourne à une compréhension traditionnelle plus intérieure de l'Écriture comme le fait aussi John Colet.

Dans cette poursuite médiévale de l'objectivité nous trouvons l'origine de notre conception moderne de la recherche exégétique. La raison est considérée comme un agent autonome. Les innombrables et subtiles significations que l'ingénuité des platoniciens chrétiens apercevait dans les Écritures ont été toutes balayées en même temps qu'était rejetée la théorie des symboles cachés. Les disciples de Thomas se sont attendris sur le fait qu'au moment où la mort l'a saisi il était en train de dicter un exposé sur le Cantique des Cantiques et était justement parvenu au verset : « Filles de Jérusalem, dites à mon Bien-Aimé que je meurs d'amour. » Mais ce n'est là qu'une touchante coïncidence. Le fait en soi n'avait plus désormais de sens profond et c'est seulement dans les hymnes eucharistiques de Thomas que transparaît son amour du symbolisme.

LA BIBLE ET LA RÉFORME

Dire que l'étude historique de la Bible telle qu'on la pratique aujourd'hui n'aurait jamais été possible sans la Réforme peut passer pour un truisme. Pourtant il ne faudrait rien exagérer : le XVIe siècle a connu non pas un seul mais deux grands mouvements de l'esprit humain et l'exégèse historique est même davantage l'enfant de la Renaissance que celui de la Réforme. Mais l'interprétation protestante, qu'elle soit historique ou non, de la Bible doit bien son existence à l'esprit de la Réforme. L'exégèse catholique repose fermement sur l'autorité des Pères, elle interprète la Bible selon la tradition de l'Église. L'exégèse protestante au contraire a pris un nouveau départ, souvent même au prix du rejet global de l'acquis accumulé au cours des siècles. C'est que, dans l'esprit du protestantisme, la Bible n'est pas un recueil de lois comparable à la constitution américaine et interprété par des décisions judiciaires de caractère contraignant. C'est un livre de vie par lequel Dieu s'adresse directement à l'âme humaine. L'esprit de la Réforme est diamétralement opposé à l'interprétation de la Bible fondée sur l'autorité ecclésiastique.

Les Réformateurs qui depuis John Wyclif ont mis l'accent sur l'interprétation grammaticale et littérale de l'Écriture n'étaient pas des novateurs. Comme on l'a vu, la position de Thomas d'Aquin était très voisine de la leur. Mais là où ils diffèrent de lui et de l'écrasante majorité des anciens exégètes, c'est dans leur insistance à accorder au texte interprété littéralement une valeur unique. Pour les Réformateurs, l'Écriture n'est pas un des nombreux piliers qui soutiennent la maison de la foi, elle est la base unique de l'édifice. Aussi les Réformateurs tenaient-ils à présenter l'interprétation de la Bible sans tenir compte de ce qu'avaient pu dire les exégètes antérieurs ni même décider les conciles. L'Église n'avait pas à servir d'arbitre dans l'interprétation de l'Écriture. C'est au contraire l'Écriture en tant que Parole de Dieu qui devait être le juge de l'Église. Naturellement c'est une interprétation historique, littérale et grammaticale de la Bible que recommandaient les Réformateurs, lorsqu'ils eurent acquis la conviction qu'il leur fallait édifier une autorité nouvelle pour l'opposer à l'autorité de l'Église.

Mais cette exégèse n'a jamais été simplement historique. Elle a commencé par la lettre mais a nécessairement progressé sous la conduite de l'Esprit. Et c'est à la lumière de l'Esprit que, selon les Réformés, la valeur religieuse de l'Écriture pourrait être à la fois définie et transmise. Luther insiste sur la primauté de ceux des livres qui « prêchent le Christ », car le Christ, qui est la parole même de Dieu, est aussi le contenu de cette parole de Dieu qu'est la Bible. Une telle conception implique le sens typologique de l'Ancien Testament et, dans bien des cas, permet à l'interprétation allégorique de refaire son entrée dans l'exégèse. Mais elle ne permet pas de se servir de l'interprétation allégorique pour établir les preuves de l'autorité de l'Église ; le Christ est au-dessus de toute autorité simplement humaine et « aucun chrétien croyant ne peut être forcé à reconnaître une autorité au-dessus de l'Écriture Sainte qui est seule à être investie d'un droit divin, à moins évidemment que n'intervienne une authentique et nouvelle révélation[1] ».

Un tel point de vue qui constitue une rupture presque totale avec les conceptions autoritaires qui prévalaient dans les systèmes théologiques précédents mérite d'être analysée avec le plus grand soin. Comment en est-on arrivé là ? A la suite de quelles pressions ? Quelle théorie d'exégèse en est-il finalement résulté ? Il nous faut étudier l'interprétation réformée de l'Écriture telle qu'on la trouve en particulier dans les œuvres de Martin Luther.

Il faut d'abord reconnaître que Luther a eu beaucoup de prédécesseurs, des hommes qui souhaitaient ardemment mettre la Bible entre les mains du peuple et la traduire en langue vulgaire[2]. L'un de ces hommes avait été John Wyclif. Parmi les contemporains et successeurs de Luther on trouve aussi des « Réformateurs radicaux » bien décidés de diverses manières non pas tant à réformer l'Église qu'à la re-former sur la base de ce qu'ils estimaient qu'elle avait été à l'époque du Nouveau Testament. Des interprétations millénaristes et outrancières rappelant jusqu'à un certain point les idées gnostiques des premiers siècles se mirent à fleurir au XVIᵉ siècle. Mais, du moins pour « l'aile droite » majoritaire parmi les protestants, l'œuvre de Luther revêt une signification plus grande. Son combat qui, au début, n'avait porté que sur des questions comme les mérites de la théologie scolastique et le trafic des indulgences en est venu graduellement à mettre en question les principes mêmes de l'interprétation. Pendant mille ans, semblait-il, l'Église avait préservé ses systèmes théologiques et ses institutions par une exégèse contrôlée par voie d'autorité, l'allégorie souvent fantaisiste permettant de se débarrasser des paroles gênantes de l'Écriture. Le réformateur allait maintenant attaquer l'Église aux points faibles de son armure que son expérience personnelle lui avait appris à connaître : « En matière d'allégories, quand j'étais moine, j'étais un maître : j'allégorisais tout. Plus tard, grâce à l'Épître aux Romains, j'en vins à quelque petite connaissance du Christ, et je vis alors que les allégories n'étaient pas ce que le Christ signifiait, mais ce que le Christ était[3]. »

Après 1517 et sa rupture définitive avec l'Église romaine, Luther cessa de se servir de l'allégorie et mit l'accent sur la nécessité « d'un seul sens simple et solide » pour armer les théologiens contre Satan. Il admet bien l'existence d'allégories dans l'Écriture mais on ne les trouve que là où ses divers auteurs les ont voulues. C'est pourquoi il est essentiel pour l'exégète de comprendre historiquement chaque auteur et son époque. Cette compréhension historique nous fournit, comme il le dit dans la préface de son *Commentaire sur Isaïe,* le sens primitif du texte. Il est étroitement associé à une connaissance d'ensemble des Écritures qui permet de bien saisir le sens des formes ordinaires de l'Écriture et de ses tournures propres.

Mais l'interprétation historique et grammaticale n'est pas une fin en soi. C'est un moyen de comprendre le Christ que tous les livres de la Bible nous enseignent. « Le Christ est le centre du cercle à partir duquel tout le cercle est tracé[4]. » Luther retourne ici très nettement à l'interprétation christocentrique qu'on trouve dans le Nouveau Testament lui-même et il introduit dans son exégèse un élément qui la fait sortir de l'interprétation scientifique « objective » pour la faire entrer dans le royaume subjectif de la foi. Car, autrement, comment pourrait-on distinguer entre les passages qui effectivement « prêchent » le Christ et ceux qui ne le prêchent pas, si ce n'est pas la foi ? Lorsqu'il affirme que les Épîtres de Paul, celles aux Romains et aux Galates en particulier, contiennent le cœur même de l'Évangile, Luther révèle le caractère subjectif de sa pensée.

On retrouve cet élément subjectif non seulement dans le choix de tel ou tel livre pour constituer le noyau central de la Bible, mais aussi dans sa théorie générale de l'exégèse : « L'expérience est nécessaire pour comprendre la Parole. Elle ne doit pas seulement être répétée ou apprise mais sentie et vécue[5]. » Notre expérience guidée par la foi nous conduit, au-delà de la philologie, à une « interprétation spirituelle » de la Bible. La seconde ne s'oppose pas à la première mais est édifiée sur sa base. Comme l'a écrit Luther deux jours avant sa mort : « Personne ne peut comprendre les Bucoliques et les Géorgiques de Virgile avant d'avoir été pendant cinq ans au moins berger ou paysan. Personne ne peut comprendre les Lettres de Cicéron (du moins je l'imagine) avant d'avoir occupé pendant vingt ans quelque importante charge de l'État. Personne ne devrait penser qu'il a suffisamment pratiqué les Saintes Écritures à moins d'avoir pendant cent ans gouverné des Églises avec les prophètes[6]. » Mais Luther ne veut pas dire là simplement que pour comprendre l'Écriture il faut avoir une expérience de la religion. Certes c'est là une condition essentielle, mais c'est l'Esprit-Saint qui apporte ses lumières à la pensée de l'exégète qui cherche à retrouver le Christ dans la Bible : « Il faut que Dieu vous dise dans votre cœur : voilà la parole de Dieu[7]. » Il faut que nous pénétrions les paroles de l'Écriture « jusqu'à leur noyau et que nous les sentions dans notre cœur [8] ».

Dans quelle mesure cette interprétation est-elle subjective ? Luther croyait certainement qu'au moins dans ses messages christologiques fondamentaux, l'Écriture était suffisamment claire pour être comprise de tous. Il semble bien avoir pensé que tous pourraient s'accorder à voir dans les Épîtres aux Romains et aux Galates, le IVe Évangile et la Ire Épître de Pierre l'essence du christianisme. La liberté avec laquelle dans sa traduction il paraphrase la Bible montre qu'il n'avait aucun doute que son sens profond fût facile à atteindre. « Il n'existe pas sur la terre, dit-il, un livre écrit plus clairement que la Sainte Écriture [9]. » L'Écriture est à elle-même son propre commentaire — *scriptura scripturae interpres* —, il n'est pas nécessaire de recourir à ceux des Pères. « Telle est la pierre de touche par laquelle tous les livres doivent être jugés : s'ils nous conduisent ou non au Christ. Car toute l'Écriture est faite pour nous montrer le Christ et Paul n'a rien voulu savoir sinon Jésus-Christ » (I Co 2, 2) [10]. Cette interprétation « spirituelle » subjective, gloire de la Réforme, est-elle religieusement valable ? Si oui, tout chrétien peut lire l'Écriture sous la seule conduite de l'Esprit-Saint. Parce que l'interprétation spirituelle est fondée sur l'exégèse littérale ou historique, il peut se servir des Pères dans la mesure où ceux-ci ont été des exégètes compétents. Mais il n'est aucunement question d'autorité ecclésiastique.

Tous les Réformateurs n'ont pas poussé les principes de cette exégèse révolutionnaire jusqu'aux conclusions atteintes par Luther. Par exemple Jean Calvin a vigoureusement maintenu un type d'interprétation « objective ». Pour lui c'est l'Écriture elle-même, plus qu'aucune interprétation christocentrique, qui constitue le fondement autorisé de la foi chrétienne. Dans *L'Institution de la religion chrétienne* Calvin expose sa théorie de l'exégèse. Comme Thomas d'Aquin il repousse l'emploi de l'allégorie en matière de théologie dogmatique [11]. La Bible, « les seules Écritures... Elles ne peuvent avoir pleine certitude envers les fidèles à autre titre, sinon quand ils tiennent pour arresté et conclu qu'elles sont venues du ciel, comme s'ils oyoyent là Dieu parler de sa propre bouche[12] ». L'autorité de l'Écriture l'emporte sur celle de l'Église car l'Apôtre dit que l'Église a pour fondations les apôtres et les prophètes. La doctrine de ceux-ci est donc plus ancienne que celle de l'Église elle-même. (L'exactitude de cette affirmation basée sur l'Épître aux Éphésiens (2, 20) peut être contestée à la fois des deux points de vue exégétique et historique. Quant à l'exégèse, l'apôtre s'adresse ici à des gentils convertis au christianisme, et c'est eux qui ont été « construits » sur le fondement des apôtres et des prophètes. Historiquement on ne peut pas dire que la doctrine des apôtres et des prophètes est « plus ancienne » que l'Église, elle *est* la doctrine de l'Église.)

Comment allons-nous prouver que l'Écriture est la parole de Dieu ? « ... La souveraine preuve de l'Écriture se tire communément de la personne de Dieu qui parle en elle. » Toute intervention de la raison humaine serait quelque peu sacrilège. En dernière analyse c'est la foi qui doit déterminer notre acceptation de la Bible et la foi n'est pas un bien à la portée de tous. « Ainsi quand nous serons troublés, voyant qu'il y a si petit nombre de croyants, souvenons-nous à l'opposite que les mystères de Dieu ne sont compris que de ceux auxquels il est donné. » La vérité de leur exégèse est confirmée par « le témoignage secret du Saint-Esprit ».

En acceptant en matière d'exégèse la primauté de la foi, Calvin ouvrait la voie au subjectivisme alors même qu'il essayait de l'exclure. En pratique il refusait de faire passer ses vues théologiques dans son interprétation de l'Écriture et critiquait même les évangélistes pour les adaptations qu'ils imposent à l'Ancien Testament[13]. On pourrait bien objecter qu'en séparant ainsi l'exégèse de la théologie Calvin était infidèle au principe fondamental de la Réforme : la théologie à partir de l'exégèse. Ce principe a été exprimé avec vigueur par Luther : « C'est aujourd'hui le siècle d'or (de la théologie)... Toutes les disciplines ont atteint leur perfection et la théologie elle-même ne peut monter plus haut puisque nous en sommes venus jusqu'à juger sur tous les docteurs de l'Église et à juger les apôtres et les prophètes[14]. »

Pourtant les Églises protestantes n'ont pas suivi Luther et en sont venues à insister sur le principe traditionnel d'inspiration verbale et d'infaillibilité qui lui était toujours demeuré étranger[15]. Désormais l'Écriture ne parle plus au cœur mais à l'intelligence critique. Elle sert à reconstruire des systèmes dogmatiques. L'orthodoxie protestante au XIXe siècle devient aussi rigide qu'avaient pu l'être les constructions théologiques du Moyen Age.

A son tour la Réforme anglicane accepta le nouveau principe de la primauté de l'Écriture. Le 6e des 39 articles adoptés en 1571 affirme que « la Sainte Écriture contient tout ce qui est nécessaire au salut », et le 8e place la Bible au-dessus même des formules de foi comme le Symbole des Apôtres : elles sont reconnues valides dans la mesure où « elles peuvent être justifiées par des témoignages absolument sûrs de la Sainte Écriture ». Lors de leur ordination diacres et prêtres doivent proclamer leur foi dans cette primauté de l'Écriture, et l'article 19 souligne que les Églises d'Alexandrie, de Jérusalem, d'Antioche et de Rome ont erré « en matière de foi ». La Bible est en matière de doctrine l'autorité suprême de l'Église anglicane. La première des homélies publiées sous le règne d'Élisabeth met l'accent sur la nécessité de lire « les Paroles de Dieu » sous la direction de « quelque pieux docteur » et de l'Esprit-Saint. « Dieu lui-même enverra d'en haut la lumière dans nos esprits. » Une autre homélie[16] explique que les difficultés de l'Écriture ne sont pas sans signification : « Essayons par nous-mêmes de chercher la sagesse cachée sous l'écorce extérieure de l'Écriture. »

Mais en même temps le recours à la tradition n'était pas abandonné. La préface de l'Ordinal (1550) proclame que le triple ministère des évêques, des prêtres et des diacres tire sa validité non pas de la seule Écriture mais aussi des « anciens auteurs », autrement dit des Pères de l'Église ancienne. Cette alliance de l'Écriture et des anciens auteurs doit être bien comprise par tous ceux qui, « lecteurs attentifs », reconnaîtront par là que le ministère ecclésiastique est à la fois apostolique et contemporain. La suprématie de l'Écriture était généralement proclamée [17] mais on rencontre des recours aux Pères même à l'intérieur des 39 articles.

Les principes de la Réforme appliqués aux Écritures ont exercé aussi une certaine influence parmi les catholiques romains. Bien qu'il n'ait pas subi directement l'influence de la Réforme, Blaise Pascal n'est cependant pas un catholique traditionaliste. Sa pensée religieuse est nourrie de l'étude de la Bible et nous pouvons le citer ici parmi ceux qui ont fait leur profit de l'œuvre des Réformateurs. Il y a une résonance presque luthérienne dans sa déclaration fameuse sur la nature de Dieu : « Dieu d'Abraham, Dieu d'Isaac, Dieu de Jacob, non des philosophes et des savants [18]. » Le Dieu de Pascal c'est le Dieu révélé dans l'Écriture, et il interprète l'Écriture avec le cœur : « C'est le cœur qui sent Dieu et non la raison. Voilà ce que c'est que la foi. Dieu sensible au cœur, non à la raison [19]. » Une telle interprétation de l'Écriture, comme celle de Luther, n'est par essence ni littérale ni allégorique. Dans la Bible « il y a assez de clarté pour éclairer les élus et assez d'obscurité pour les humilier [20] ». C'est un livre paradoxal. Les auteurs ordinaires n'ont qu'un seul sens. La Bible en a un elle aussi mais tel qu'il met d'accord toutes ses contradictions. Et ce sens c'est en Jésus-Christ qu'il se trouve [21].

Pascal est un catholique qui a subi profondément l'influence du renouveau spirituel suscité par la Réforme. Il ne peut pas accompagner jusqu'au bout les Réformateurs, il s'appuie toujours sur l'autorité de l'Église même pour l'interprétation de l'Écriture [22]. Mais il montre comment le vin nouveau de l'interprétation christocentrique peut dilater les vieilles outres de l'exégèse patristique même pour quelqu'un qui se rattache encore aux interprétations ecclésiastiques de l'Écriture.

L'interprétation réformée de la Bible a, nous l'avons vu, trouvé son expression classique chez Martin Luther. Il rejette l'interprétation traditionnelle parce qu'elle oppose un obstacle à notre compréhension personnelle de l'Écriture : « L'enseignement des Pères ne peut nous servir qu'à nous conduire à l'Écriture comme ils l'ont été eux-mêmes ; ensuite nous ne devons plus nous attacher qu'à la seule

Écriture[23]. » L'exégèse qui en résulte est subjective, il est vrai, mais elle est aussi objective. Elle est fondée sur le sens littéral des textes bibliques : « Il ne faut faire aucune violence aux paroles de Dieu, que ce soit par les hommes ou par les anges ; il faut les prendre autant que possible dans la signification la plus simple, au sens grammatical et littéral, à moins que le contexte ne l'interdise formellement, pour ne pas donner à nos adversaires l'occasion de se moquer de l'ensemble de l'Écriture. Ainsi jadis Origène fut rejeté parce qu'il méprisait le sens grammatical, parce qu'il transformait en allégories les arbres et tout le reste du paradis terrestre : d'où le danger qu'on pût conclure que Dieu n'a pas créé les arbres[24]. » La Bible n'est pas un critère d'autorité parmi d'autres, comme elle l'était pour le catholicisme médiéval, elle est le critère unique. Elle n'est pas un critère uniquement objectif comme elle l'était pour Thomas d'Aquin. Elle est un critère à la fois objectif et subjectif car c'est en elle et par elle que Dieu lui-même parle au cœur de l'homme. La Bible est à elle-même sa propre preuve[25].

L'accent mis par Luther sur l'élément subjectif de l'interprétation s'apparente étroitement aux théories modernes d'exégèse qui font ressortir en fin de compte l'impossibilité d'une analyse totalement « objective » de la pensée humaine. Wilhelm Dilthey se situe dans la même lignée. En même temps Luther marque un retour à des méthodes exégétiques plus anciennes et moins rationalistes. Il rend l'exégèse à la théologie. Il s'efforce d'annuler le divorce qui s'était produit au Moyen Age. Et sa contribution à l'interprétation de l'Écriture a conservé une valeur permanente. Non seulement les critiques du XIXe siècle mais aussi leurs adversaires peuvent le revendiquer pour leur prophète.

X

L'ESSOR DU RATIONALISME

Le XVe siècle fut une époque d'intense fermentation intellectuelle. De petites escarmouches et des révoltes avortées ont préparé sa voie à la révolution qui allait venir. La mise en question de la vérité traditionnelle n'était pas tellement plus virulente que celle qui s'était déjà manifestée en d'autres temps. Mais l'autorité de l'Église catholique avait été affaiblie par la montée du rationalisme. L'Église, il est vrai, avait encouragé le développement d'une opposition rationnelle en mettant elle-même l'accent sur l'élément rationnel de la foi. Maintenant la raison humaine passait à l'attaque contre l'autorité et revendiquait sa propre liberté.

Cette tendance est illustrée par deux personnalités plus ou moins intérieures à l'Église. La première est un homme de la Renaissance italienne, Lorenzo Valla, secrétaire du roi de Naples. En 1440, son ouvrage *De la fausse et menteuse Donation de Constantin* lui donna de telles craintes qu'il s'enfuit à Barcelone pour échapper à la fureur qu'il redoutait de la part de Rome. Depuis des siècles en effet, l'autorité du pape s'était reposée en toute sécurité sur la base présumée légale de la « Donation de Constantin ». Et voici que Valla démontrait que c'était un faux. En fait Valla s'était exagéré la colère de la cour pontificale et bientôt il put rentrer tranquillement en Italie. Là il continua ses recherches critiques. Il découvrit que la prétendue lettre du Christ à Abgar roi d'Édesse, que les historiens de l'Église tels qu'Eusèbe avaient crue authentique, était apocryphe ; il critiqua le style du latin de la Vulgate, enfin il mit en question l'authenticité du Symbole des Apôtres. Même la Rome affaiblie d'alors ne pouvait tolérer de telles conclusions et Valla comparut devant l'Inquisition. Mais, et rien n'illustre mieux l'étendue des changements qui avaient affecté l'autorité traditionnelle de l'Église catholique, son procès fut abandonné. Qu'avait-il dit à ses juges ? Qu'il croyait comme croyait sa mère l'Église. Il ne put s'empêcher d'ajouter qu'en vérité elle ne savait rien. Mais il se hâta de réitérer sa profession de foi. C'était là un bon début pour un schisme entre la foi et la science. Sous Nicolas V, Valla devint « *scrittore* » apostolique à la cour pontificale et mourut paisiblement en 1457.

L'autre rebelle à l'autorité traditionnelle était plus haut placé encore à l'intérieur de l'Église. C'était Reginald Peacock, évêque de Saint-Asaph et Chichester en Angleterre. Son ouvrage *Rule of christian Religion* lui attira beaucoup plus d'ennuis que Valla n'en avait eus en Italie. Traduit devant un tribunal ecclésiastique, il fut menacé de mort s'il ne se rétractait, ce qu'il consentit à faire, car ses théories lui avaient été inspirées, du moins en partie, par des controverses avec les Lollards, simples croyants qui pratiquaient l'interprétation littérale de l'Écriture et attaquaient l'Église. C'était aussi que Peacock était plus heureux de vivre à Oxford et de participer avec éclat à la vie intellectuelle si féconde de son université. Les exigences de la raison lui apparaissaient comme très fortes. Ce qu'il avait dit était que même les décrets œcuméniques de l'Église pouvaient être sujets à l'erreur et qu'il fallait donc qu'ils soient justifiés par la Bible. L'interprétation de la Bible elle-même devrait être faite à l'intérieur de la raison humaine. On a parfois voulu voir en Peacock un précurseur de la Réforme, mais rien n'était plus éloigné de sa pensée. C'était un apologiste hardi qui croyait en la complète rationalité de la foi de l'Église, pourvu qu'elle fût correctement comprise. D'autres ecclésiastiques n'en étaient pas aussi sûrs.

Au XVIᵉ siècle l'influence des littératures antiques et de l'intellectualisme moderne allèrent encore s'accentuant. C'était là cependant un type nouveau d'intellectualisme. La scolastique semblait bien pâle comparée aux découvertes toutes neuves de la philologie.

L'étude des Pères révélait l'existence de vastes domaines de la pensée chrétienne qui n'avaient pas été englobés dans la tradition. Cela, bien sûr, n'alla pas sans résistances. Il y avait à Oxford un parti d'adversaires du grec qui s'appelaient eux-mêmes Troyens et soutenaient que seule la théologie avait de l'importance. Mais les meilleurs esprits se trouvaient dans le camp de la nouvelle culture. Thomas More dit : « Comment peut-il prétendre connaître la théologie celui qui ignore l'hébreu, le grec et le latin ? Il pense, j'imagine, que tout peut se trouver dans les bavardages de la scolastique. Je reconnais qu'elle peut s'assimiler sans grand effort, mais la théologie, cette auguste reine du ciel, demande une vision plus large. La connaissance de Dieu ne peut s'apprendre que dans l'Écriture et les anciens Pères catholiques. C'est là que pendant mille ans ceux qui cherchaient la vérité sont allés la puiser et l'ont trouvée, avant qu'on n'ait entendu parler de ces paradoxes d'aujourd'hui[1]. » Le mouvement suscita un grand enthousiasme. Érasme écrivait à John Colet qui allait devenir le Doyen de Saint-Paul : « La théologie est la mère des sciences, mais de nos jours les meilleurs esprits et les plus sages s'en tiennent à l'écart et abandonnent le chantier aux plus bornés et plus vils qui se prennent pour omniscients. Vous avez pris les armes contre ces gens-là. Vous vous efforcez de ramener le christianisme des apôtres, et de le débarrasser des ronces et des broussailles qui l'ont défiguré[2]. » Cependant ses représentants n'étaient pas d'accord sur l'attitude à adopter envers les exégètes et théologiens du Moyen Age. Érasme considérait Thomas d'Aquin comme un homme incomparable, tandis que Colet disait « qu'il n'aurait pas fait la loi si hardiment sur toute chose au ciel et sur la terre s'il n'avait été un imbécile plein d'arrogance et qu'il n'aurait pas infesté le christianisme avec son absurde philosophie s'il n'avait eu le cœur plein de mondanité ». On retrouve la même divergence de vues à propos de l'interprétation de l'Écriture.

Érasme était beaucoup plus traditionaliste que Colet. En même temps qu'il publiait une nouvelle édition et traduction du Nouveau Testament dont les notes étaient remplies de dénonciations contre ses contemporains, il soutenait que l'Écriture pouvait avoir plusieurs sens : « Nous pouvons tout aussi bien lire Tite-Live à la place des *Juges* ou d'autres parties de l'Ancien Testament si nous en excluons le sens allégorique. » Et il admirait la *Catena aurea* de Thomas d'Aquin. Colet de son côté insistait sur l'interprétation littérale de l'Écriture. L'Esprit-Saint fait naître en nous la compréhension de ses paroles : « Dans les écrits du Nouveau Testament, excepté là où il a plu au Seigneur Jésus et à ses apôtres de parler en paraboles — comme le Christ le fait souvent dans les Évangiles et saint Jean de façon systématique dans l'Apocalypse — tout le reste du texte, soit que le Seigneur y enseigne ouvertement ses disciples, soit que les apôtres instruisent les Églises, a comme signification le sens qui apparaît à première vue, et jamais on ne dit une chose pour en signifier une autre, et la chose signifiée est celle-là même qui a été dite et le sens est absolument littéral. Pourtant, comme l'Église de Dieu est elle-même une figure, comprenez toujours une *analogie* dans ce que vous entendez enseigner dans l'Église[3]... » Cette modération qui n'aurait pas déplu à Thomas ne se retrouve pas lorsqu'il s'agit de l'Ancien Testament. Là l'usage de l'allégorie est autorisé mais les allégories de Colet sont peu nombreuses et viennent généralement de la typologie traditionnelle.

Ni Érasme ni Colet ne désiraient rien d'autre que de réformer l'Église tout en continuant à la servir. Comme Thomas et comme Peacock ils croyaient que la vérité que leur raison découvrait dans les anciens manuscrits n'était pas différente de celle que la foi de l'Église avait transmise. L'éducation de Colet, admirablement décrite par Érasme, éclaire bien à nos yeux leur attitude. Le jeune Colet avait subi la fascination de Cicéron, de Platon et de Plotin. Lorsqu'il se tourna vers les auteurs chrétiens il détesta la scolastique et Augustin, mais fut fort attiré par le pseudo-Denys, Origène, Cyprien, Ambroise et Jérôme. Dans la mesure où il fut un humaniste il fut un humaniste chrétien.

L'attitude de ces Réformateurs à propos de l'interprétation de l'Écriture ne diffère pas de façon frappante de celle de leurs prédécesseurs. Ils soulignent vigoureusement la valeur toujours actuelle de l'Écriture et pour cela ils insistent sur son sens littéral. Mais ils ne nient pas l'existence d'autres sens également valables. Ils ne mettent pas directement en question l'autorité de l'Église. Il n'en reste pas moins que leur œuvre a préparé le terrain pour des exégètes tout à fait extérieurs à celle-ci et qui ne connaîtront d'autre guide que la raison. Deux exemples de la fin du XVI⁰ siècle montrent cette diffusion progressive d'une attitude de mise en question à l'égard de la Bible. Un laboureur nommé Matthew Hamond fut jugé en 1579 par l'évêque et le consistoire de Norwich pour avoir « nié le Christ », et l'une des principales accusations était celle-ci : « il avait dit que le Nouveau Testament et l'Évangile du Christ n'étaient que des sottises, une histoire d'hommes, ou même une simple invention ». Hamond fut envoyé au bûcher. Cinq ans plus tard, John Hilton, qui n'était pas un simple laboureur mais un clerc ayant reçu les ordres sacrés, fut jugé pour avoir dit dans un sermon à Saint-Martin-des-Champs à Londres, que l'Ancien et le Nouveau Testament étaient des fables. Il abjura et réussit à échapper au sort du moins habile Hamond[4].

Une aussi libre critique des récits de l'Écriture nous ramène à l'époque des grands opposants au christianisme, Celse, Porphyre et l'empereur Julien l'Apostat. Ses origines peuvent même être reportées beaucoup plus loin en arrière jusqu'à l'époque hellénistique, où nous trouvons une critique systématique et rationaliste de la mythologie grecque. La restauration de la culture classique et la valeur plus grande que lui attribua la Renaissance ont sans doute encouragé une attitude critique à l'égard de la Bible[5]. De plus, l'essor de la philosophie comme science autonome et son divorce progressif d'avec la théologie rendaient possible et même nécessaire une nouvelle évaluation de la signification et de l'interprétation de la Bible. En même temps la véritable idolâtrie des protestants à l'égard de la Bible posait des questions à l'esprit des hommes de pensée. Lorsqu'ils entendaient appeler les auteurs de l'Écriture « secrétaires de Dieu, mains du Christ, plumes vivantes et écrivantes[6] », ils pouvaient se demander si l'autorité pontificale avait jamais été plus rigoureuse. Comme le dit l'anglican Richard Hooker : « De même que des louanges exagérées décernées à des hommes diminuent ou altèrent souvent la valeur d'un éloge mérité, ainsi devons-nous prendre bien garde de ne pas attribuer à l'Écriture plus qu'elle ne peut avoir, de peur que le caractère invraisemblable de cela soit cause que même ce qu'elle possède en abondance ne soit pas estimé avec la révérence qui lui est due [7]. » Au XVIIe siècle l'Écriture ne jouissait pas d'une aussi révérente estime que dans le passé.

Deux philosophes nous fourniront l'exemple de l'influence croissante du rationalisme et du déclin de l'autorité, qu'il s'agisse de l'Écriture ou de l'Église. En 1651 Thomas Hobbes publiait à Paris son *Léviathan,* étude sur « la matière, la forme et le pouvoir d'une république ecclésiastique et civile ». Dans cet ouvrage il fait preuve d'une prudence typiquement anglicane, repoussant le biblicisme des autres protestants et la rigueur romaine. Il écrit contre l'exaltation de l'Écriture des premiers : « Lorsque Dieu parle à l'homme, ce doit être soit directement soit par la médiation d'un autre homme... Dire que Dieu lui a parlé dans la Sainte Écriture ce n'est pas dire que Dieu lui a parlé directement, mais par la médiation des prophètes ou des apôtres, ou de l'Église de la manière dont il parle à tous les autres chrétiens » (chap. 32). Dans ce passage, Hobbes annonce la théorie moderne que la Bible n'est pas elle-même la révélation de Dieu mais un témoignage sur cette révélation. Plus loin il minimise l'autorité de l'Écriture en insistant sur l'importance qu'il faut reconnaître à l'établissement du canon. L'Église a choisi quels livres devraient constituer le code de la vie chrétienne. Mais Hobbes s'élève aussi avec véhémence contre le catholicisme romain. Après avoir observé que l'obscurité spirituelle résulte d'une mauvaise interprétation de l'Écriture, il s'élève contre l'apologiste romain Bellarmin : « De tous les abus qu'on a faits de l'Écriture le plus grand et le plus grave et dont tous les autres ont découlé, c'est de la fausser pour prouver que le Royaume de Dieu mentionné si souvent dans l'Écriture s'identifie à l'Église actuelle » (chap. 44). Le chapitre suivant : « De la démonologie et autres reliques de la religion des Gentils » est une attaque contre l'Église romaine.

Hobbes ne prend pas intérêt à l'Écriture en tant qu'elle est une révélation de l'action de Dieu dans l'histoire ou une source de la théologie chrétienne. Il est un philosophe politique et voit dans l'Écriture le livre qui contient les règles, règlements et principes moraux de la république ecclésiastique. A la fin du Moyen Age il était apparu que l'Écriture pouvait être séparée de la théologie. C'était maintenant au tour de la philosophie de voir l'usage qu'elle pourrait faire de la Bible. Et le développement le plus important d'une analyse philosophique se trouve dans l'œuvre de Spinoza.

Spinoza consacre une large part de son *Tractatus Theologico-Politicus* à la question des rapports entre la théologie et la philosophie. Sa réponse parut si dangereuse qu'il jugea opportun de la publier anonymement à Hambourg en 1670. En 1674 l'ouvrage fut interdit par les états généraux et aussi mis à l'index. A l'origine cet ouvrage répondait à une intention pratique : Spinoza était né pendant la guerre de Trente ans. A cause des heurts violents entre théologies, l'Europe était réduite à l'état de chaos et Spinoza croyait que « pour mettre fin à l'animosité et à la haine » entre chrétiens il fallait établir une séparation très nette entre les deux domaines théologique et philosophique. Dès lors la raison guiderait les esprits humains vers la vérité et la sagesse tandis que la théologie continuerait à assurer leur piété et leur obéissance. Selon lui l'erreur fondamentale dans l'interprétation de l'Écriture a été le désir de l'homme d'y découvrir de la philosophie : « J'avoue que leur (des chrétiens) admiration des mystères de l'Écriture est sans bornes, mais je ne vois pas qu'ils aient jamais exposé aucune doctrine en dehors des spéculations aristotéliciennes et platoniciennes ; et, pour ne point paraître des païens, ils y ont accommodé l'Écriture. Il ne leur a pas suffi de déraisonner avec les Grecs, ils ont voulu faire déraisonner les prophètes avec eux » (Préface). Il en résulte que les chrétiens se contentent d'accepter l'Écriture de façon toute formelle mais ne possèdent pas une foi vivante et sont contraints de mépriser la raison. Spinoza veut les libérer de ces entraves et entreprend d'examiner l'Écriture « avec des yeux neufs et un esprit soigneux, impartial et libre de toute présomption à son égard ».

Il a l'avantage d'appartenir à la race de ceux qui ont écrit la Bible et il peut comprendre comment ils l'ont écrite : « Il faut ici... observer que les Juifs ne font jamais mention des causes moyennes, c'est-à-dire particulières, et n'en ont point souci mais recourent toujours à Dieu par religion, piété, ou, comme on dit vulgairement, dévotion. Si par exemple ils gagnent quelque argent dans un marché ils disent que cet argent leur a été apporté par Dieu ; s'il leur arrive de désirer quelque objet, que Dieu a disposé leur cœur d'une certaine façon ; et s'ils pensent quelque chose, que Dieu leur a parlé. Il ne faut donc pas voir une prophétie et une connaissance surnaturelle partout où l'Écriture dit que Dieu a parlé » (chap. 1). Partant de ce principe, Spinoza parvient à miner l'autorité de l'Écriture en tant que révélation ou même que témoignage de la révélation, car évidemment, chaque fois qu'une action ou décret de Dieu paraissait irrationnel, on pouvait expliquer par une particularité de la langue hébraïque son attribution à Dieu. Et Spinoza montre pour finir la rationalité totale de la révélation biblique : « Comme, dans ce qu'enseigne expressément l'Écriture, je n'ai rien trouvé qui ne s'accordât avec l'entendement et qui le contredît ; voyant en outre que les prophètes n'ont rien enseigné que des choses extrêmement simples pouvant être aisément perçues par tous, et ont seulement usé pour les exposer, du style, et pour les appuyer, des raisons qui pouvaient le mieux amener la multitude à la dévotion envers Dieu, j'ai acquis l'entière conviction que l'Écriture laisse la raison entièrement libre et n'a rien de commun avec la philosophie, mais que l'une et l'autre se maintiennent par une force propre à chacune » (Préface). Cette conviction a pour conséquence la liberté absolue de la raison humaine délivrée des exigences de la théologie. La théologie doit se réduire à la théologie morale. « La révélation n'a droit à l'obéissance que pour ce seul objet. » La question des miracles est naturellement très facile à résoudre grâce au principe général que l'Écriture écrite par des Juifs ne discute pas des causes secondes. « ... Elle (l'Écriture) ne fait pas connaître les choses par leurs causes prochaines, mais les raconte seulement dans un ordre tel et avec des phrases de telle sorte qu'elles puissent exciter le plus possible les hommes et surtout la foule à la dévotion. Pour cette raison elle parle très improprement de Dieu et des choses, je veux dire, parce qu'elle s'applique non à convaincre la Raison mais à affecter et à occuper le plus possible la fantaisie et l'imagination » (chap. 6). Lorsque l'Écriture parle un langage simple et rationnel elle reconnaît que la nature est immuable (Ps 148, 6 ; Jr 31, 35 sq ; Qo 1, 10-12 ; 3).

En réalité l'Écriture a été conçue pour agir sur la volonté indocile des masses incultes et elle atteint son but lorsqu'elle les tient sous son contrôle. Mais les philosophes qui vivent selon la raison doivent être libres de comprendre la nature du mieux qu'ils le peuvent : « La théologie n'a pas à servir la raison ni la raison la théologie, mais chacune a son domaine propre » (chap. 15). L'autorité de l'Écriture ne s'exerce que sur l'homme irrationnel. Spinoza soutient que son analyse est bienfaisante pour l'État et apportera la paix parmi les hommes qui veulent être tolérants : « Je conclus encore qu'il faut laisser à chacun la liberté de son jugement et le pouvoir d'interpréter selon sa complexion les fondements de la foi, et juger de la foi de chacun selon ses œuvres seulement... cette liberté peut et même doit être accordée sans danger pour la paix de l'État et le droit du souverain, elle ne peut être enlevée sans grand danger pour la paix et grand dommage pour l'État » (Préface). Dès lors que l'Écriture ne s'adresse plus à nous de façon autoritaire, elle n'a plus besoin d'être comprise autrement que par l'interprétation historique. « Ce sens de l'Écriture devrait être tiré de sa propre histoire et non de l'histoire de la nature en général qui est la base de la philosophie. Le but final de cette étude est la découverte des vérités universelles qu'elle a expressément enseignées » (chap. 7). Ainsi l'Écriture correctement comprise confirmera les conclusions que la raison a déjà atteintes au moyen de la philosophie. Le divorce entre théologie et philosophie aboutit pour tout homme intelligent à l'abandon de la théologie. On n'étudiera plus l'Écriture que pour son intérêt historique et on lui applique simplement les règles de l'interprétation historique. Spinoza les expose dans son chapitre 7. Nous examinerons d'abord « la nature et les caractéristiques de la langue dans laquelle les livres de la Bible ont été écrits et que leurs auteurs étaient habitués à parler ». Puisque l'Ancien Testament comme le Nouveau ont des caractéristiques hébraïques, si nous comprenons la langue hébraïque nous pouvons comprendre leur manière de s'exprimer. En second lieu il faudrait analyser le sujet traité par chacun des livres en le décomposant en chapitres pour en montrer le contenu, noter les passages ambigus, obscurs ou présentant entre eux des contradictions. Puis on devra étudier le milieu propre à chacun des livres. Qui l'a écrit ? Que savons-nous de son auteur ? A quelle occasion et à quelle époque, pour qui et dans quelle langue a-t-il été écrit ? Enfin il faut examiner l'histoire postérieure du livre et, pour terminer, son inclusion dans le canon.

La méthode de Spinoza est très proche de celle suivie par les introductions modernes aux livres de la Bible. Elle est claire et rationnelle. Elle évite toutes les questions théologiques généralement associées à l'interprétation de l'Écriture, car l'Écriture ne s'impose pas avec une autorité surnaturelle à l'esprit de l'interprète. Elle peut s'imposer à lui comme une règle de vie, mais seulement dans la mesure où son intelligence est faible. Mais s'il est vraiment rationnel, la raison seule guidera sa vie tout entière. Le dédain de Spinoza pour l'autorité de l'Écriture ou celle de l'Église est largement contrebalancé par la confiance qu'il accorde aux pouvoirs de la « raison impartiale » s'exerçant sans idées préconçues. Il vit au printemps du rationalisme.

Spinoza est le principal champion de la primauté de la raison qui l'emporte sur l'Écriture et se débarrasse du poids de l'interprétation traditionnelle, mais il a eu des prédécesseurs et des alliés, particulièrement aux Pays-Bas. Par exemple, en 1658 un médecin unitarien nommé Zwicker a publié son *Irenicum Irenicorum* qui est une tentative pour persuader les chrétiens en guerre les uns contre les autres que la théologie devrait être fondée premièrement sur la raison et en second lieu seulement sur l'Écriture et la tradition. Un essai anonyme de 1683, *les Miracles ne violent pas les lois de la nature*, soutient que les plus anciens Pères... et parmi les modernes les plus savants théologiens ont été d'avis que « les Écritures ont uniquement pour but d'exciter dans leurs cœurs des sentiments de piété ». Une position plus modérée fut celle de Meyer, un ami cartésien de Spinoza, qui soutint dans sa *Philosophia sacrae scripturae interpres* (1666) que bien qu'elle fût la parole infaillible de Dieu, l'Écriture devait être interprétée par la raison, c'est pourquoi ce qui apparaît en elle comme irrationnel devrait être compris allégoriquement [8].

A l'intérieur même de l'Église catholique on rencontre la même position dans l'œuvre critique de Richard Simon (1638-1712). Membre de la congrégation de l'Oratoire, il la quitta pour publier son *Histoire critique du Vieux Testament* (1678), où il niait que Moïse fût l'auteur du Pentateuque, et son *Histoire critique du Nouveau Testament* (1689). Les deux ouvrages furent condamnés par le Parlement de Paris et d'autres écrits de Simon furent plus tard attaqués par Bossuet et Louis XIV [9]. Dans l'Église anglicane, à l'imitation des *Principia mathematica* de son ami Newton, un certain John Craig écrivit une *Theologiae christianae principia mathematica*. Partant de l'idée que tout témoignage devient de moins en moins valide à mesure que s'écoule le temps, il jugeait possible de calculer à quelle date cesserait la crédibilité du christianisme. Ce devrait être vers 3144, et c'est probablement à cette date qu'aurait lieu le deuxième avènement du Christ [10].

C'est dans la première moitié du XVIIIᵉ siècle que le rationalisme parvint au sommet de sa popularité. D'innombrables pamphlets furent diffusés pour exprimer sous une forme et dans un langage populaires les arguments que les philosophes avaient formulés plusieurs générations auparavant. Le plus répandu fut le *Discours sur les miracles* de Thomas Woolston. A la suite de sa publication on en vit paraître soixante réfutations et Woolston fut jugé pour blasphème. En dépit de l'ingénieux argument de son défenseur qu'il n'avait fait que revenir à la méthode allégorique des Pères, il fut condamné à cent livres d'amende. Mais vers le milieu du siècle la philosophie avait pris une autre direction. L'évêque Berkeley et

William Law avaient démontré l'impuissance de la raison « naturelle » et le besoin qu'avait l'homme d'une révélation, tandis que Hume montrait que le scepticisme pouvait se retourner contre la raison elle-même. Les conflits sur l'interprétation de l'Écriture prirent fin peu à peu, du moins en Angleterre. Le rationalisme critique de la Bible franchit alors l'Atlantique pour aller mourir dans les bras de John Paine.

LE XIXᵉ SIÈCLE

Vers la fin du XVIIIᵉ siècle l'étude rationnelle de la Bible s'était tellement développée que les manuels d'herméneutique qui exposaient la nouvelle méthode connurent une grande vogue. Parmi eux ceux d'Ernesti et de Semler montrent très nettement l'intérêt croissant qu'on portait à une compréhension purement historique de l'Écriture. Vers la fin du siècle, Lessing, Herder et Eichhorn proposèrent des analyses historiques de la Bible qui devaient marquer toute une génération. Vers la fin du XVIIIᵉ siècle tout était donc prêt en Allemagne pour le développement d'une critique radicale.

La critique historique de la Bible n'était pas nouvelle, mais elle avait été maniée le plus souvent soit par des adversaires du christianisme, soit par les chefs d'une opposition minoritaire à l'intérieur de l'Église [1]. Désormais, avec le rôle sans cesse grandissant des universités allemandes, l'étude de la Bible échappa au contrôle de l'Église et passa à une école en quelque sorte sécularisée [2]. Mouvement analogue à celui qui, au XIIᵉ siècle, avait transféré les études bibliques du cloître à l'Université. Mais l'atmosphère spirituelle d'une université allemande au XIXᵉ siècle était bien différente de celle de Paris par exemple au Moyen Age. L'université allemande était alors dominée par un idéal nouveau, romantique, de la liberté. Sous la conduite de la philosophie, celle de Hegel en particulier, la recherche impartiale et objective allait résoudre les énigmes de l'histoire. Même si les faits se dissolvaient dans l'analyse des sources, les idées maîtresses demeureraient. Au XIXᵉ siècle une relation nouvelle et très étroite s'établit entre l'exégèse biblique et la théologie,

La méthode critique, qu'on était venu à considérer comme le seul type légitime d'interprétation, guidait les théologiens dans leurs reconstructions de la foi en même temps qu'elle fournissait un moyen pour réorganiser les matériaux théologiques trouvés dans la Bible. C'était à la fois une boussole et un sécateur. Schleiermacher et Ritschl se distinguèrent tous deux aussi bien dans la critique du Nouveau Testament que dans la théologie systématique. Et au cours du siècle beaucoup d'interprètes en vinrent à considérer critique et exégèse comme synonymes.

Un des traits les plus marquants du développement de l'interprétation biblique au cours du XIX⁰ siècle fut la façon dont elle fut implicitement orientée par des présupposés philosophiques. La plupart des interprètes historiques considéraient comme allant de soi une attitude rationaliste à l'égard des miracles. Plus avant dans le siècle la distinction hégélienne entre idées externes et formes temporaires fut mise en œuvre, et avec le temps, au cours du siècle, la différence entre les écrits bibliques et les autres littératures s'effaça progressivement. Cette idée que la Bible pouvait être interprétée de la même façon que n'importe quel autre livre fut vulgarisée notamment par Schleiermacher [3].

L'œuvre d'interprétation de Schleiermacher représente la confluence du rationalisme avec le subjectivisme de la Réforme. Dans son *Ueber die Religion* (1799), il rejette l'autorité absolue de l'Écriture. « Les livres sacrés sont devenus la Bible en vertu de leur propre puissance, mais ils n'empêchent aucun autre livre d'être ou de devenir une Bible à son tour. » En fait « la personne de Jésus-Christ, avec tout ce qui en découle immédiatement, est seule absolument normative [4] ». Ce mélange de rationalisme avec l'esprit de la Réforme n'a pas été très heureux ; en effet, si Schleiermacher a produit une critique pénétrante [5] du Nouveau Testament, le rationalisme l'emporte totalement dans son ouvrage posthume *Leben Jesu*. La résurrection du Christ n'est que son réveil d'une léthargie, l'ascension sa seconde et véritable mort.

Paulus, un contemporain purement rationaliste de Schleiermacher, posait cette question dans son *Leben Jesu* (1929) : « Le fait raconté

s'est-il produit, et comment peut-il s'être naturellement produit ? »
Pour lui les anges de la Nativité étaient des lueurs phosphorescentes,
les récits de guérisons omettent leurs causes naturelles et l'histoire de
la transfiguration est sortie de l'imagination de disciples épuisés de
sommeil qui avaient vu Jésus parler avec deux inconnus par un
beau coucher de soleil ! On trouve dans l'œuvre de De Wette une
analyse plus critique et plus saine du Nouveau Testament. Ses études l'ont conduit à un scepticisme radical quant à la possibilité de
répondre à un grand nombre des questions qu'il soulève ; on ne
peut écrire une vie de Jésus et notre incertitude doit renforcer
notre foi [6].

Le principal critique du Nouveau Testament au XIXe siècle fut
F. C. Baur, professeur de théologie historique à Tübingen de 1826
jusqu'à sa mort en 1860 [7]. Fortement influencés par la théorie hégélienne de l'histoire, lui et ses disciples croyaient en un développement dialectique du dogme. Les idées n'arrivent que graduellement à leur complète expression à travers le processus dialectique
qui fait se succéder thèse, antithèse et synthèse. C'est pourquoi toute
l'histoire des origines chrétiennes devait être interprétée au moyen
de schémas de ce type. Les judaïsants posent la thèse, ils entrent
en conflit avec Paul et ses disciples qui sont l'antithèse, enfin sont
rédigés les Évangiles et les Épîtres qui constituent la synthèse des
deux éléments. Les critiques modernes professent souvent trop de
mépris pour la méthode de Baur et pour Hegel. A bien des égards
l'école de Tübingen nous présente une image très déformée des
origines chrétiennes mais elle n'est pas fondamentalement fausse.
Baur fonda une école de critiques dont certains étaient de grande
valeur mais dont aucun ne parvint à l'égaler. Son plus brillant
élève fut Ritschl dont le premier ouvrage est fortement influencé
par son maître. Mais son deuxième, *Die Entstehung der altkatho-
lischen Kirche,* fut une déclaration d'indépendance.

Un autre élève de Baur, plus connu que Ritschl, a été
D. F. Strauss dont la juvénile *Vie de Jésus* (1835) fut très large-
ment répandue. A vrai dire, quand il fut nommé professeur à
Zürich en 1839, une pétition qui rassembla quarante mille signatures

empêcha le gouvernement suisse de le faire venir. Pour Strauss, Jésus était un sage que ses ignorants contemporains ont transformé en magicien. On peut se demander dans quelle mesure Strauss est entièrement négatif : il réduit à néant l'image traditionnelle de Jésus et soutient qu'il faut croire en un « christ éternel », l'idéal humain tel qu'on le conçoit au XIXᵉ siècle·

Il ne faudrait pas croire que l'interprétation « historique » de la Bible, particulièrement sous cette forme radicale, triomphait sans partage même à Tübingen. Là même régnait un maître plus influent, J. T. Beck, qui soutenait que les auteurs de l'Écriture étaient inspirés et qu'une exégèse spirituelle (pneumatique) était possible[8]. Il affirmait avec force que la Bible contenait la *Heilsgeschichte,* « l'histoire du salut » ou celle des actions par lesquelles Dieu nous le procure, c'est pourquoi elle était différente de toute autre espèce d'histoire et devait être traitée de façon différente. Dans d'autres universités nombre de critiques refusaient aussi de suivre l'école radicale.

L'influence de celle-ci fut très forte en Hollande où son scepticisme, combiné au déterminisme philosophique, ébranla les fondements du protestantisme aux Pays-Bas[9]. Dès 1848, I. H. Scholten avait dans sa *Doctrine de l'Église réformée* établi une distinction entre la Bible et la parole de Dieu qu'elle contient. Faisant appel à l'Écriture et aux Réformateurs, Scholten jeta les bases d'une théologie moderniste entièrement fondée sur la raison et la conscience[10]. C'est précisément en Hollande que plus tard la théorie qui réduit le Christ à un mythe obtint le plus de succès[11].

L'École de Tübingen n'exerça pas en France une grande influence. Renan n'admire pas tant les critiques qu'il ne regrette de n'être pas né libre protestant[12]. Et puis le succès de sa propre *Vie de Jésus* a fait obstacle à une plus large diffusion de celle de Strauss. De plus la théorie du Christ réduit à un mythe était née en France et y avait déjà été réfutée. J.-B. Pérès s'était servi d'une pareille méthode pour « prouver » que Napoléon n'avait jamais existé[13].

En Angleterre l'influence de l'école critique s'est très largement exercée sur tout le milieu intérieur à l'Église anglicane. Coleridge par exemple connaissait au moins indirectement la critique biblique allemande dont il acceptait les conclusions quoique avec prudence. D'une manière bien anglicane il soutenait le droit à l'interprétation privée en même temps qu'il louait l'exégèse traditionnelle des Pères et des conciles et insistait sur la nécessité d'un travail scientifique[14]. Ses *Propos de table* sont pleins d'intéressants commentaires sur les questions bibliques.

L'esprit et la méthode de l'École allemande trouvent chez lui leur expression : « Quoi qu'on puisse penser de l'authenticité ou de l'autorité de n'importe quelle partie du livre de Daniel, cela ne change rien en ma foi dans le christianisme car le christianisme est intérieur à l'homme[15]. »

Il partage jusqu'à un certain point la même attitude envers les miracles encore qu'il ne les rejette pas : « Dans les miracles de Moïse il y a un remarquable mélange de faits que nous qualifierions simplement aujourd'hui de providentiels et d'autres que nous continuerions à appeler miraculeux[16]. »

Les anciennes théories sur l'inspiration lui paraissent dénuées de sens : « Il peut y avoir dictée sans inspiration et inspiration sans dictée, on a souvent confondu à tort les deux choses et on les confond encore. Balaam et son ânesse étaient les instruments passifs d'une dictée mais personne, j'en suis sûr, n'osera qualifier d'inspiré l'un ou l'autre de ces dignes personnages. Par contre j'ai la conviction profonde que saint Jean et saint Paul étaient inspirés par Dieu, mais je refuse absolument de croire à la " dictée " passive d'aucun mot, phrase ou thème à travers tous leurs écrits[17]. »

L'Écriture doit être interprétée par ceux qui ont la compétence spirituelle pour la comprendre. « La paraphrase qu'Érasme a faite du Nouveau Testament est explicite mais il ne faut rien attendre de très profond de cet auteur. Le seul commentateur qualifié de saint Paul a été Luther : ce n'était pas un gentleman comme l'Apôtre, mais il l'égalait presque en génie[18]. » Cette notion traditionnellement anglaise de « gentleman » appliquée à Luther manifeste que Coleridge a bien compris la portée de son œuvre.

Les disciples de Coleridge dans les milieux libéraux de l'Église anglicane reprennent en général ses idées. C'est ainsi que Thomas Arnold dit que la Bible est un ensemble d'écrits humains qui nécessitent une exégèse rationnelle[19]. De même F. D. Maurice a approuvé la critique biblique, au moins à titre expérimental, mais seulement si elle est pratiquée par des gens familiers des voies de l'Esprit. Il a enseigné que l'inspiration biblique n'était pas par essence différente de celle que Dieu accorde à ses enfants aujourd'hui encore. La Bible ne devrait pas être séparée de la vie : « Rien n'y est enseigné comme ce l'est dans le Coran, par décret pur et simple, mais tout par la vie et l'expérience[20]. » Et cependant dans le fameux procès intenté à la critique biblique anglaise au XIXᵉ siècle, Maurice a choisi de peser de toute son influence contre l'attitude critique. Il s'agit du procès de l'évêque Colenso[21].

Colenso était un évêque anglican missionnaire au Natal, qui tenta non seulement de traduire l'Ancien Testament en zoulou, mais aussi d'expliquer certaines des plus grosses difficultés auxquelles ses convertis se heurtaient. Un assistant indigène contestait la crédibilité de l'arche de Noé et la justesse de certaines prescriptions de la loi de Moïse concernant l'esclavage. Ces questions mirent en branle l'esprit de l'évêque qui en vint à douter de l'exactitude des statistiques bibliques. Il refusa d'admettre plus longtemps que six cent mille hommes d'armes plus les femmes, les enfants et les esclaves avaient pu errer pendant quarante ans dans le désert du Sinaï. Et cela l'amena à adopter nombre des conclusions des critiques du continent. Colenso gagna plus tard son procès devant un tribunal anglais mais il eut à souffrir beaucoup d'attaques personnelles, et en particulier de la perte de l'amitié de Maurice.

Il eut un autre adversaire inattendu en la personne de Matthew Arnold qui lui reprocha de manquer de sens religieux. Reproche assez étrange de la part d'un homme tout occupé à réfuter Baur et Strauss, et en même temps à réinterpréter une religion à laquelle il n'était pas réellement attaché! Certaines des observations d'Arnold sur l'interprétation valent la peine qu'on s'y arrête. Il eut à son époque une influence très étendue. Dans *Littérature et dogme, Dieu et la Bible, Saint Paul et le protestantisme*, il s'est présenté lui-même comme l'exégète des laïcs cultivés. Bien qu'il ne se serve pas d'un langage technique, l'une de ses positions essentielles consiste à rejeter l'inspiration de la Bible au sens traditionnel et les miracles : « Le temps est maintenant venu où les hommes ne considèrent plus comme allant de soi de regarder les miracles de la Bible comme une classe à part. Dès lors, dès le moment où l'histoire comparative de tous les miracles est une conception reçue et une étude admise, la conclusion est certaine ; le règne des miracles bibliques est condamné[22]. » Comme le cardinal Newman, Arnold a regretté cette évolution mais il n'a pas eu comme lui l'assurance de la foi pour y résister[23].

En dépit de controverses telles que celle sur *Essays and Reviews* juste avant l'affaire Colenso et un peu plus tard celle sur *Lux Mundi*, le mouvement critique continua de progresser dans l'Église anglicane aussi bien que dans les autres communautés protestantes. Même les anglo-catholiques qui avaient d'abord manifesté une violente hostilité à la critique et s'étaient enthousiasmés pour l'allégorie et l'interprétation traditionnelle[24] en vinrent à apprécier les méthodes de la critique, en particulier lorsque ce groupe se fit le champion d'une théologie rationnelle. La critique biblique devint de bon ton et même allant de soi. Elle avait gagné l'Amérique dans le deuxième quart du XIX⁰ siècle et y fleurit aussitôt, dans les universités du Nord-Est en particulier. Quelques procès ecclésiastiques ne firent qu'accélérer sa croissance. Dès 1829 un groupe de pasteurs anglicans de New York traduisit de l'allemand et publia une collection d' « essais et dissertations de littérature biblique ». Ils étaient, disaient-ils, « bien conscients de l'existence dans certains esprits d'un préjugé contre la théologie allemande et la philologie en général », mais ils étaient bien décidés à le vaincre. Le travail des congrégationalistes Moses Stuart et Edwin Robinson d'Andover est plus significatif encore. Le second, alors professeur à l' « Union Theological Seminary », publia son monumental ouvrage, *Recherches bibliques en Palestine, au mont Sinaï et en Arabie Pétrée* (1841). Il avait étudié en Allemagne de 1826 à 1830[25].

Une certaine stabilisation se dessina vers la fin du XIX⁰ siècle au sein de la critique en Allemagne. En Angleterre on commença à se servir de l'expression « les résultats assurés de la critique ». Cette sensation de sécurité fut due pour une grande part aux travaux de deux hommes, l'un dans le domaine sémitique et vétéro-testamentaire, l'autre dans celui du Nouveau Testament et de la littérature chrétienne des premiers siècles. Auteurs d'œuvres énormes et fécondes ils furent l'un et l'autre considérés par leurs disciples comme quasi omniscients.

Julius Wellhausen fut l'interprète de l'Ancien Testament. La théorie des origines qui porte son nom et celui de son fondateur, Graf, a régné sur la critique de l'Ancien Testament presque jusqu'à nos jours et est soutenue encore aujourd'hui par beaucoup d'exégètes de grande valeur. En gros la voici : Alors qu'une tradition pratiquement unanime soutient que les cinq livres de Moïse sont les documents les plus anciens de la littérature hébraïque et par conséquent antérieurs aux prophètes, l'école de Wellhausen retarde la promulgation solennelle de la Loi jusqu'à l'exil à Babylone et situe la composition des principaux codes au plus tôt après le grand mouvement prophétique. Seuls le code de l'Alliance et peut-être la rédaction la plus ancienne des sections narratives yahvistes et élohistes pourraient, selon cette interprétation, remonter plus haut que le VIIIe siècle. Au lieu d'être, comme pourrait le faire croire l'ordre actuel des livres de la Bible, les restaurateurs du monothéisme mosaïque, les prophètes sont présentés (par Wellhausen) comme les premiers à en avoir conçu et répandu l'idée[26]. Beaucoup de détails de la théorie de Wellhausen ont été corrigés par les progrès de la recherche, mais il se peut qu'on ait exagéré en la déclarant tout à fait périmée. Quoi qu'il en soit, l'auteur de ce petit livre n'a pas l'intention de prendre part aux controverses de la critique actuelle de l'Ancien Testament.

Pour le Nouveau, le mouvement critique du XIXe siècle trouve son expression dans le livre de Harnack *Das Wesen des Christentums* (L'essence du Christianisme). Cet ouvrage est un recueil des conférences improvisées que le grand professeur de Berlin, alors à l'apogée de son génie, prononçait devant un auditoire de six cents étudiants. Il prêche pour ramener le protestantisme à la religion de Jésus telle qu'elle apparaît une fois dégagée de tout ce qui était venu la recouvrir, christologie, institutions ecclésiastiques et ascétiques : l'enseignement de Jésus peut se ramener à ces trois points :

1. Le royaume de Dieu et sa venue.
2. Dieu le Père et l'infinie valeur de l'âme humaine,
3. La plus haute perfection et le commandement d'amour [27].

Lorsqu'il discerne ces trois éléments essentiels, l'interprète du Nouveau Testament ne reproduit pas le message tout entier du Christ. C'est impossible : « Il y a là deux possibilités seulement : ou bien l'Évangile est en tous points identique à sa forme première, auquel cas, venu en son temps, il est reparti avec lui, ou bien il contient quelque chose qui, sous des formes historiques différentes, conserve une valeur permanente [28]. » Et ici Harnack, fidèle à l'esprit de la Réforme, pense que chaque interprète doit décider lui-même ce qui est l'essence du christianisme. C'est à bon droit, écrit-il, « que la Réforme a protesté contre toute autorité extérieure et formelle en religion, donc contre l'autorité des conciles, des prêtres et de toute la tradition de l'Église. La seule autorité valable est celle qui se montre telle de l'intérieur et apporte une délivrance, donc l'Évangile seul [29] ». On a souvent reproché au *Das Wesen des Christentums* de séparer le Christ de l'Église. Mais Luther aussi en appelait au Christ et à l'Évangile contre l'Église de son temps. Pourtant Harnack n'est pas au premier chef un Réformateur. Il a prétendu interpréter l'enseignement de Jésus comme l'essence du christianisme, mais il est bien évident que l'enseignement de Jésus était plus complexe que ses interprètes ne l'ont fait apparaître [30]. De plus le Nouveau Testament lui-même place le centre de la religion chrétienne dans la résurrection de Jésus, acte décisif par lequel Dieu est entré dans l'histoire et a manifesté sa puissance.

Le mouvement critique du XIXᵉ siècle n'a pas été seulement un épisode de l'histoire de l'interprétation, mais (comme toute autre école exégétique) a eu aussi une signification proprement théologique. Sur ce plan la critique s'est identifiée au libéralisme. Tout jugement sur l'histoire de cette école doit tenir compte de ce point de vue théologique autant que de la critique elle-même car les deux étaient étroitement unis. Aujourd'hui, après deux guerres mondiales, nous sommes moins optimistes sur la possibilité de réaliser un monde chrétien. Après bientôt cinquante ans, la critique a été poussée encore plus avant et nous commençons à comprendre non seulement que l'esprit humain est capable d'erreur, mais aussi que la méthode historique a ses propres limites. Les pionniers qu'étaient les anciens critiques ont allégrement abattu des forêts entières. Désormais la hache de la critique ne sera plus entre nos mains qu'un outil parmi d'autres.

LE MODERNISME CATHOLIQUE

Si stable, si immuable même qu'elle se professe, l'Église romaine ne pouvait manquer de subir l'assaut des vagues de la critique biblique. En France par exemple, où le vaisseau semblait pourtant avoir surmonté les tempêtes de la Révolution et des guerres napoléoniennes, tout en bas, dans les profondeurs de la cale, les eaux dangereuses du libéralisme commençaient à s'infiltrer. Et même si, en fin de compte, on était parvenu à calfater les fissures et à écoper l'eau qui avait ainsi pénétré, on crut du moins un moment qu'allait apparaître la possibilité de voir un jour se lever un catholicisme qui lui aussi serait libre. Il suffit de mentionner les noms de leaders catholiques comme Rosmini-Serbati, Döllinger et Lord Acton pour imaginer ce que cela aurait pu être. Newman lui-même qui, en qualité de converti, ne pouvait guère passer pour ouvert aux idées libérales, semblait, au moins en apparence, approuver l'idée d'un changement.

Pourtant les dirigeants politiques du catholicisme parvinrent à empêcher un tel mouvement de se développer, et la liste des ouvrages libéraux mis à l'index ne cessa de s'allonger tout le long du siècle. Le *Syllabus errorum* en 1864 et la définition de l'infaillibilité pontificale de 1870 fournirent un puissant appui aux forces conservatrices intérieures à l'Église. Et si on ajoute à ces deux monuments les encycliques ultérieures *Providentissimus Deus* (1893) et *Pascendi Domini gregis* (1907), on verra que les espérances libérales étaient en quelque sorte illusoires. Comme le fait remarquer Pie X dans *Pascendi*, le plan des modernistes était mis en échec

par trois facteurs : la philosophie scolastique, l'autorité des Pères
et de la tradition, et l'autorité de l'Église.

Pour un garçon venu de la Bretagne étudier à Paris en vue de
la prêtrise en 1838, le poids écrasant de ces dernières décisions
autoritaires ne s'était naturellement pas encore manifesté. Il était
capable de s'apercevoir qu'on lui enseignait « une théologie de
demoiselle », mais il croyait qu'elle venait du passé du catholicisme[1]. Elle ne représentait pour lui ni le présent ni le futur. De
même à Saint-Sulpice, la Révolution, à ce qu'il dit, n'eut « aucun
effet[2] ». La Révolution atteignit le séminaire lorsque ce garçon qui
s'appelait Ernest Renan commença l'étude de l'hébreu.

A Saint-Sulpice il fut mis en contact avec la Bible et les sources
du christianisme et le résultat final de ses études fut le rejet de
tout ce sur quoi sa vie s'était fondée jusque-là. Le problème en vint
à se poser pour lui en ces termes : « Dans un livre divin en effet
tout est vrai et deux contradictoires ne pouvant êtres vraies à la fois
il ne doit s'y trouver aucune contradiction. Or l'étude attentive que je
faisais de la Bible, en me révélant des trésors historiques et esthé-
tiques, me prouvait aussi que ce livre n'était pas plus exempt qu'aucun autre livre antique de contradictions, d'inadvertances, d'erreurs.
Il s'y trouve des fables, des légendes, des traces de composition
tout humaine[3]. » L'idée vint alors à Renan qu'en abandonnant
l'Église il pourrait néanmoins « rester fidèle à Jésus », mais, pour
finir, il abandonna la religion pour le rationalisme. Sans doute ne
pouvait-il pas accepter le travail critique de l'école de Tübingen
dont il considérait les opinions comme « exagérées », mais il ne
pouvait pas non plus rester catholique.

L'immense popularité de son œuvre, en particulier de sa *Vie de
Jésus,* accrut en France l'influence de l'école critique en plein essor.
Le pontificat de Léon XIII, ce grand diplomate, donna l'impression
à une partie du clergé, surtout en France, qu'un compromis entre
catholicisme et critique biblique pourrait être possible[4]. Le flot con-
tinu des condamnations qui vinrent frapper les critiques aventureux
aurait dû leur montrer leur erreur[5], mais l'optimisme était une des
caractéristiques du mouvement moderniste[6].

Le modernisme n'a jamais été organisé en tant que mouvement, ni même clairement défini. C'était plutôt, comme l'a décrit Pie X dans l'encyclique *Pascendi,* un mélange de toutes espèces d'hérésies. Les seuls points communs à tous ses adhérents étaient leur foi en l'esprit de l'époque et le refus de considérer la doctrine comme immuable. Mais la protestation des modernistes venait avec des siècles de retard. L'édifice du dogme catholique avait été restauré par le concile de Trente et venait d'être couronné par la proclamation de l'infaillibilité pontificale. L'interprétation autoritaire de l'Écriture avait été réaffirmée à la fois contre les protestants et les « rationalistes » dans l'encyclique *Providentissimus Deus* (novembre 1893). La cause moderniste, en particulier en ce qui concerne l'exégèse, était donc perdue d'avance.

Pourtant quelques raisons pouvaient laisser espérer sa victoire. D'abord les modernistes étaient convaincus qu'ils représentaient le véritable esprit de l'Église et que l'apologétique qu'ils étaient en train de construire était la seule capable de faire traverser sans dommage à la théologie chrétienne les flots déchaînés de la science moderne. En second lieu ils se rendaient bien compte du grand retentissement qu'avait eu la théorie newmanienne du développement, et certains d'entre eux, Loisy en particulier, croyaient que leurs vues personnelles n'étaient qu'un développement de la pensée de Newman. Nous pouvons constater qu'ils avaient mal lu Newman, mais tel n'était pas leur avis. Enfin ils avaient grande confiance pour le soutien de leur cause dans le caractère évident de la vérité scientifique. Ils se montrèrent rarement sceptiques à l'égard de l'imposant édifice que la critique (radicale) du xixe siècle avait élevé sur les fondations de la recherche historique. Loisy avait toujours plus de confiance dans la vertu de son exégèse que dans la validité des témoignages sur lesquels elle s'exerçait. Mais une telle confiance était bien dans la note de son époque en matière de science.

L'interprétation moderniste a atteint son point culminant dans *L'Évangile et l'Église* de Loisy, ouvrage qui connut une popularité immense et entraîna l'excommunication de son auteur. Il était conçu

comme une réplique catholique au *Das Wesen des Christentums*
de Harnack (voir plus haut p. 137 et 138). Jugeant impossible une
simplification de la foi chrétienne il déclare : « On ne connaît le
Christ que par la tradition, à travers la tradition, dans la tradition
chrétienne primitive... comme si cette seule idée de l'Évangile sans
la tradition n'était pas en contradiction flagrante avec l'état du fait
qui est soumis à la critique[7]. »

Malheureusement il critique non seulement Harnack mais aussi
la théorie officielle du catholicisme en matière d'exégèse. Il n'éprouve
aucune gêne à déclarer sans valeur historique de nombreux passages du Nouveau Testament, car à ses yeux leur valeur est garan-
tie par l'Église qui les a élaborés. Il attaque nettement l'interprétation traditionnelle de la Bible. « L'œuvre de l'exégèse traditionnelle
d'où l'on dirait que le dogme sort par une lente et continuelle élaboration, semble en contradiction permanente avec les principes d'une
interprétation purement rationnelle et historique. Il est toujours sous-
entendu que les anciens textes bibliques et aussi les témoins de la
tradition doivent contenir la vérité du temps présent et on l'y trouve
parce qu'on l'y met[8]. » Loisy critique ensuite l'exégèse typologique
de l'Ancien Testament contenue dans le Nouveau et les autres
« artifices d'interprétation ». Ailleurs il fait la distinction entre
les interprétations historique et traditionnelle : « Le premier sens
étant celui qui leur appartient en vertu de leur origine et de leur
propre nature, le second celui qui s'est greffé sur eux par le travail
de la foi dans l'évolution ultérieure du judaïsme et du christianisme. » La critique ne doit s'occuper que du premier[9]. Loisy était
à la recherche d'un moyen de résoudre les contradictions entre les
deux exégèses historique et théologique. Malheureusement pour lui
son travail se déroulait à l'intérieur d'une Église qui, officiellement,
ne reconnaissait l'existence d'aucune contradiction. Son problème et
la solution qu'il en proposait furent méconnus et rejetés. Qu'avait-
il donc tenté de faire ? Il avait tenté, pour ainsi dire, de court-
circuiter la critique (radicale), de la dépasser, tout en lui reconnaissant une validité absolue dans sa propre sphère. Il en vint
presque à proclamer un divorce entre la connaissance et la foi.

Il est intéressant de remarquer que Loisy accordait beaucoup plus d'importance à son œuvre religieuse et philosophique qu'à ses travaux de critique. En cela il avait probablement raison. Comme critique et comme historien il réussit à être brillant sans être profond. Son œuvre manque souvent de la profondeur qu'une compréhension plus sympathique du christianisme primitif lui aurait donnée et ses vues ne sont trop souvent qu'ingénieuses. Et pourtant les problèmes qu'il a posés et pour lesquels il a sacrifié son catholicisme continuent à troubler le monde des théologiens. Le problème du rapport entre exégèse historique et exégèse « spirituelle » n'a pas encore trouvé sa solution [10].

Loisy quitta l'Église avant l'inévitable condamnation portée contre ses erreurs par le décret de l'Inquisition *Lamentabile sane exitu* (3 juillet 1907) et l'encyclique *Pascendi Dominici gregis* (8 septembre 1907). La sentence énumère et condamne 65 propositions tirées non seulement des œuvres de Loisy mais aussi de celles d'autres modernistes, mais la plupart des « erreurs » en question concernaient le Nouveau Testament dont Loisy avait été l'exégète le plus marquant. Parmi les propositions erronées figuraient celle-ci : que le magistère de l'Église ne peut décider du sens authentique de la Sainte Écriture même par une définition dogmatique (prop. 4) ; que le dépôt de la foi ne contient que des vérités révélées et donc qu'il n'appartient pas à l'Église de porter un jugement sur les conclusions des sciences humaines (prop. 5) ; que l'exégète doit mettre de côté toute opinion préconçue sur l'origine surnaturelle de l'Écriture et ne pas l'interpréter autrement que les autres documents humains (prop. 12), enfin que les exégètes hétérodoxes ont exprimé plus fidèlement le véritable sens de l'Écriture que les exégètes catholiques (prop. 19). Une erreur plus fondamentale encore aux yeux des traditionalistes consistait à soutenir que « l'inspiration divine ne s'étend pas à toute l'Écriture sainte de manière à prévenir contre toute erreur toutes et chacune de ses parties » (prop. 11).

Enfin voici la proposition qui résume vraiment l'attitude moderniste et révèle son incompatibilité fondamentale avec le point de

145

vue catholique autoritaire : « Aucun chapitre de l'Écriture, du premier de la Genèse au dernier de l'Apocalypse, ne contient une doctrine absolument identique à celle qu'enseigne l'Église sur le même sujet, et en conséquence aucun chapitre de l'Écriture ne peut avoir le même sens pour le critique et pour le théologien » (prop. 61).

L'encyclique pontificale systématise et peut-être rationalise à l'excès les vues des modernistes, mais elle n'avait pas tort d'attaquer la théorie d'une double vérité qu'ils soutenaient. A leurs yeux miracles et prophéties n'étaient pas des phénomènes historiques : ils n'avaient d'existence qu'aux yeux de la foi : « Lorsqu'ils font de l'histoire ils n'y introduisent aucune mention de la divinité du Christ, lorsqu'ils prêchent à l'église ils la confessent avec foi... Ainsi ils séparent l'interprétation théologique et pastorale de l'exégèse scientifique et historique. »

Les modernistes prétendaient bien n'avoir aucune philosophie mais en fait toute leur construction repose sur les fondations de l'agnosticisme, sur ce qu'ils appelaient « la logique des faits ». Ils font une distinction entre histoire intérieure et histoire réelle [11]. Se fondant sur une théorie évolutionniste ils arrangent les documents pour les faire cadrer avec celle-ci.

L'objection fondamentale qui fut opposée aux modernistes est tirée de la coupure qu'ils établissent entre science et théologie. Nous avons vu au chapitre 8 que le thomisme n'envisage pas la possibilité d'une tension entre raison et révélation, car la raison fournit la base sur laquelle s'élève l'édifice de la révélation. Une interprétation purement objective de l'Écriture combinée avec une interprétation aristotélicienne purement objective de la nature tracent la route à la théologie catholique. Il n'y a pas d'autre voie sinon hérétique. Comme le fait remarquer Pie X, les modernistes auraient dû s'apercevoir que leurs vues étaient condamnées d'avance par le concile de Trente et le concile du Vatican de 1870.

La condamnation par le pape eut plusieurs conséquences. On fonda à Rome l'Institut pontifical d'Études bibliques, et la Commission biblique pontificale déjà créée en 1901 fut encouragée à publier ses décisions. Celles-ci réaffirmèrent généralement la tradition de l'Église dans les questions de critique biblique mais certaines sont (semble-t-il) intentionnellement ambiguës. En tout cas les critiques catholiques ont pu ensuite tirer parti de certaines de ces ambiguïtés pour assurer un peu plus de liberté à leurs travaux [12]. La crise moderniste finit par s'apaiser.

Un demi-siècle après *Providentissimus Deus*, Pie XII en reprenait les principaux points mais en les réinterprétant dans son encyclique *Divino afflante spiritu* (30 septembre 1943). Après avoir décrit les progrès des études bibliques encouragées par ses prédécesseurs, le pape en vient à l'état présent de l'exégèse et souligne les conquêtes de la science moderne : l'archéologie biblique, la papyrologie, la découverte de nouveaux manuscrits, l'étude de l'interprétation ancienne et des anciennes manières d'écrire et de parler, toutes ont apporté leur contribution. Mais chacune doit apporter plus encore : il faut que l'exégète connaisse à fond le langage biblique, qu'il soit expert en critique textuelle, surtout pour les textes grecs et hébreux. Son but premier doit être d'établir le sens littéral de l'Écriture en soulignant sa portée théologique Mais il doit aussi dégager le sens spirituel qu'autorise le sens littéral. Enfin il doit encore étudier plus à fond l'exégèse patristique.

Que fera l'interprète lorsqu'il rencontrera les nouvelles questions et difficultés qui surgissent à notre époque ? Par-dessus tout, qu'il considère le caractère de l'auteur sacré : Quoique inspiré, il n'en possède pas moins sa personnalité propre que nous parvenons à connaître en étudiant son époque, ses sources, son style. Les vieux auteurs orientaux ont une façon d'écrire bien différente de la nôtre et l'exégète doit essayer de se faire le contemporain de ces Orientaux d'autrefois. Il y a dans l'Écriture des idiotismes, des hyperboles et même des paradoxes. L'exégète doit savoir faire la part de tout cela. Il reste cependant encore beaucoup de difficultés et les Pères de l'Église n'en ont résolu qu'un petit nombre en comparaison. L'infaillibilité de la Bible doit être maintenue aussi bien que la doctrine de l'Église, mais le pape accorde qu'il reste à l'exégète catholique une plus grande liberté.

Quels ont été en fin de compte les résultats de la crise moderniste [13] ? Les prophètes optimistes du modernisme ont reçu un rude choc en voyant les condamnations se succéder et le mouvement paraître mourir. A toutes les époques le nombre des gens intéressés par la théorie de l'interprétation biblique a été assez faible, et dans une communauté fondée sur l'autorité leurs exigences doivent s'incliner devant la nécessité de s'y conformer. Pourtant les décisions de la Commission biblique n'allaient pas sans tolérer un certain degré de réinterprétation, comme il est apparu clairement en 1927. En 1897, le Saint-Office avait décidé qu'il fallait considérer comme authentique le texte, à la vérité interpolé, de la première Epître de saint Jean (5, 7) (« il y en a trois dans le ciel ») et nul interprète catholique n'était autorisé à soutenir le contraire. Trente ans plus tard, une fois la crise passée, on a pu affirmer que la décision d'alors n'avait été prise que « pour refréner l'audace d'auteurs privés » qui s'arrogeaient le droit de juger de l'authenticité du « comma » ou de son interpolation. Aujourd'hui les auteurs catholiques sont autorisés à prendre parti contre l'authenticité du comma « pourvu qu'ils se déclarent prêts à accepter le jugement de l'Église à qui Jésus-Christ a confié la charge non seulement d'interpréter les Saintes Écritures, mais aussi de les garder fidèlement ». Aux yeux des non-catholiques cette déclaration peut sembler quelque peu équivoque, mais étant donné le principe de l'autorité ecclésiastique en matière d'exégèse, c'était peut-être là le seul moyen qui permît de légitimer évolution et changement. Dans le monde catholique on est généralement tombé d'accord pour reconnaître que, comme l'a dit pendant la guerre la *Revue Biblique, Divino afflante spiritu* ouvre une ère nouvelle dans l'étude de l'Écriture Sainte.

L'EXÉGÈSE PROTESTANTE MODERNE

L'université de Strasbourg en 1893 arrachait à un nouvel étudiant une admiration qu'il traduit en ces termes : « Libres à l'égard de toute tradition, maîtres et élèves rivalisaient à l'envi pour réaliser l'idéal d'une université moderne. Le corps enseignant ne comptait que très peu de maîtres déjà avancés en âge[1]. » Le grand exégète libéral H. J. Holtzmann faisait ses cours sur les évangiles synoptiques tandis que tout à côté les étudiants pouvaient aussi écouter Windelband et Ziegler parler sur l'histoire de la philosophie, Budde sur l'Ancien Testament et Robstein sur la théologie dogmatique. Presque tout le monde était d'accord pour penser, comme l'étudiant cité plus haut, que ses maîtres et leurs méthodes étaient ce qui se faisait de mieux alors. Et pourtant lorsque cet étudiant dont le nom était Albert Schweitzer continua par lui-même l'étude des synoptiques il en arriva à mettre en doute les principes fondamentaux de l'école libérale.

Holtzmann avait soutenu l'idée que, puisque l'Évangile de Marc sert de base à la fois à Matthieu et à Luc, on peut comprendre Jésus en se fondant sur Marc seul. Mais lorsque Schweitzer en vint à examiner les chapitres 10 et 11 de Matthieu qui dans une large mesure ne sont pas fondés sur Marc, il ne put cependant mettre leur authenticité en doute car ils contiennent une prophétie non accomplie attribuée à Jésus. Quel intérêt l'Église primitive aurait-elle eu à multiplier autour d'elle les difficultés ? Aucun. C'est donc que ces chapitres qui reflètent l'idée d'un monde surnaturel et messianique sont en substance authentiques. L'image que se fait l'école libérale d'un Jésus simple moraliste est dès lors ébranlée. Heureusement pour Schweitzer, Holtzmann ne lui posa pas à l'examen de questions portant sur ce sujet et toute discussion fut évitée. Mais Schweitzer savait bien qu'il lui faudrait continuer à chercher dans cette direction en profitant des possibilités de travail scientifique qu'offrait à cette époque l'université allemande.

Il s'en fut donc travailler à la Bibliothèque nationale de Paris, puis passa l'été 1899 à Berlin où il suivit les cours des grands maîtres de l'université ; Harnack en particulier fit sur lui une impression profonde. Il fut pasteur à Strasbourg pendant deux ans jusqu'à ce qu'ayant passé sa licence de théologie il devint en 1902 privat-docent à l'université. Deux membres de la faculté s'élevèrent contre sa nomination : ils désapprouvaient sa méthode de recherche historique et craignaient que ses opinions n'égarent les étudiants. Mais grâce à l'appui d'Holtzmann il fut finalement nommé. En 1905 il fit un cours d'été sur l'histoire des recherches concernant la vie de Jésus, d'où il tira un livre paru l'année suivante : *Von Reimarus zu Wrede* dont la deuxième édition est intitulée *Geschichte der Leben-Jesu-Forschung.* Dans cet ouvrage Schweitzer souligne que les principaux historiens du XIXe siècle ont souvent l'idée que le messianisme de Jésus n'avait qu'un caractère moral et que tous les éléments apocalyptiques étaient des additions introduites à tort par ses disciples. D'autre part on ne saurait nier qu'il existe bien dans l'Évangile des éléments eschatologiques. Ceux des exégètes qui admettaient ce fait l'expliquaient de deux manières : Certains (Colani, Wilkmar et enfin Wrede) niaient que l'eschatologie vînt de Jésus lui-même. Quelques-uns (J. Weiss et Schweitzer lui-même) acceptaient son authenticité et la considéraient comme le cœur même de l'Évangile[2].

L'œuvre de Schweitzer eut une influence extraordinaire. L'école libérale avait atteint son apogée avec le *Wesen des Christentums* d'Harnack et ne semblait pas avoir d'avenir ouvert devant elle. Théologiens chrétiens et exégètes étaient à la recherche d'un nouveau prophète pour faire sortir du désert l'interprétation du Nouveau Testament. John Weiss avait, il est vrai, largement anticipé les conclusions de Schweitzer, mais on avait besoin d'une étude plus accessible pour présenter le problème au public intéressé par les questions théologiques. Comme l'avait fait Loisy dans *L'Évangile et l'Église,* Schweitzer attaquait l'école libérale à son point le plus faible, le terrain des faits historiques. Il fut accueilli chaleureusement en Angleterre et le malheureux Tyrell s'en servit dans son livre *Christianity at the crossroads.* Naturellement il fut attaqué. Le doyen Inge le jugea « blasphématoire ». Mais l'image de Jésus en termes d'eschatologie ne devait plus s'effacer, elle ne fit que prendre plus d'éclat à mesure qu'on avançait dans le XXᵉ siècle. Schweitzer avait ouvert à une nouvelle école d'interprètes la voie d'une nouvelle orthodoxie, mais, abandonnant son œuvre exégétique, il partit pour une mission médicale en Afrique.

Dès avant la première guerre mondiale la recherche en était arrivée à conclure qu'il était impossible d'expliquer la Bible par le moyen de la méthode historique telle qu'on avait l'habitude de l'employer jusque-là. Schweitzer lui-même se rendait bien compte qu'à toutes les époques on avait cherché non pas à tracer un portrait historique de Jésus mais à lui demander une règle de vie. Après la guerre, l'étude de la Bible s'étant encore développée, il devint clair que les récits bibliques n'avaient jamais été conçus par leurs auteurs comme des documents historiques au sens objectif du terme. Les quatre évangiles par exemple avaient été écrits pour présenter Jésus comme le Messie et le Fils de Dieu. Écrits dans la foi ils étaient destinés à inspirer la foi. Pour les évangélistes les questions de faits et de chronologie telles que les comprenaient les critiques libéraux du XIXᵉ siècle n'étaient pas seulement des questions secondaires mais, à leurs yeux, ne se posaient même pas. Aussi lorsque leurs écrits furent examinés au moyen de méthodes normalement appliquées avec succès à d'autres textes anciens on ne put en tirer une interprétation satisfaisante. Nul ne saurait nier les services que la philologie classique peut rendre à l'étude de la Bible. Mais les livres qui composent celle-ci ont été écrits dans une communauté croyante, et pour des croyants ce n'est pas là de l'histoire « objective », et même leurs auteurs n'auraient pas aimé être qualifiés d' « objectifs ». Enfin ils ont pris position et celle-ci transparaît à travers chacune des syllabes qu'ils ont écrites. La fameuse recherche en quête du « Jésus de l'histoire » ne nous conduit pas beaucoup plus avant que le « Christ de la foi ».

De cet échec des recherches antérieures sur la vie de Jésus nous pouvons tirer deux conclusions : Il faut tout d'abord reconnaître qu'on ne sait pas grand-chose sur sa carrière. On ne sait pas dans quel ordre les événements se sont déroulés, et il nous est impossible de dessiner une image ou de tracer une courbe de son développement psychologique. En fait on n'aurait jamais dû s'y essayer car on ne possède pas les données nécessaires. Comme le remarque E. Schwartz, les anciens ne s'intéressaient pas à retracer une évolution psychologique[3]. Du reste, en l'absence de telles données, nous ne pouvons plus aujourd'hui accepter l'audace avec laquelle les historiens du siècle dernier déclaraient inauthentiques telle parole ou tel fait de la vie de Jésus. Pour nous Jésus n'est pas « l'être normal » qu'ils espéraient découvrir. En second lieu, non seulement nous ne pouvons pas suivre son développement humain, mais nous nous heurtons au caractère messianique du Christ et nous n'avons aucune solution de rechange à lui substituer. L'Évangile nous présente Jésus comme le Fils de Dieu. Certes, on peut interpréter l'expression de diverses manières, mais on ne saurait arracher cette notion des évangiles. Ils demeurent avec intransigeance des livres de foi.

Cette nouvelle manière de comprendre le Nouveau Testament nous a permis de retrouver son caractère essentiel qui est d'être une révélation : il est vain d'en tenter une lecture qui éliminerait l'élément miraculeux en le dégageant du témoignage directement historique. Le miracle fait étroitement corps avec les Évangiles, l'oublier équivaudrait à les arracher à leur cadre du 1ᵉʳ siècle. Un changement d'orientation analogue a affecté les études sur l'Ancien Testament où l'intérêt se concentre désormais sur la théologie et l'archéologie bibliques[4]. L'hypercritique de caractère littéraire tend à disparaître.

Pourtant la critique actuelle est en réalité plus sceptique que celle du XIX⁰ siècle, car elle conteste la possibilité de connaître beaucoup de faits considérés alors comme assurés. Possédons-nous assez d'informations pour déterminer si tel ou tel passage est authentique ou non ? La réponse est souvent négative et une critique honnête doit savoir reconnaître ses limites. Mais on peut dire honnêtement que dans le texte biblique rien d'essentiel n'a été démontré être faux ou même ne risque de l'être. De toute façon la réaction du croyant en présence du texte de la révélation ne peut se limiter à reconnaître l'exactitude des faits. Il s'agit pour lui de la foi et de l'amour envers Dieu. La foi ne se borne pas à un récit d'événements lointains, elle est le lien toujours actuel qui unit le chrétien à Dieu.

Au XIXᵉ siècle et au début du XXᵉ les critiques ont fait grand état de la soi-disant objectivité de leurs travaux. Ils ont essayé d'élever la critique biblique au rang d'une science exacte. Mais un examen même superficiel des résultats assurés de leurs recherches montre qu'ils se sont fait illusion sur leur propre objectivité. Il reste toujours quelque élément subjectif qui entraîne nécessairement une diversité dans l'exégèse ; et l'analyse de la pratique de l'interprétation révèle qu'une exégèse qui se voudrait « scientifique » dépouille souvent l'objet qu'elle interprète de presque tout son intérêt.

Ces observations préliminaires bien présentes à l'esprit, venons-en maintenant à considérer les divers développements de l'exégèse biblique au début du XXᵉ siècle, particulièrement en ce qui concerne le Nouveau Testament.

Deux aspects principaux caractérisent l'étude du Nouveau Testament au cours du présent siècle, tous deux ayant pour objectif une compréhension plus nette de l'Église primitive en fonction du milieu historique au sein duquel elle a pris naissance. Ce sont des tentatives pour jeter un pont au-dessus de l'abîme qui séparait du monde l'Église primitive et pour expliquer ses énigmes par comparaison avec d'autres mouvements du même genre. La première de ces méthodes est l'histoire comparée des religions. On a beaucoup appris dans les soixante dernières années sur les autres religions du monde gréco-romain et on a pensé trouver dans ces nouvelles connaissances une contribution utile pour comprendre le christianisme primitif[5]. Il semble malheureusement que nous connaissions beaucoup moins bien la religion antique que les pionniers remplis d'enthousiasme ne l'ont cru, et qu'en tout cas beaucoup de parallélismes frappants puissent être expliqués par l'influence du christianisme sur le milieu ambiant plutôt que par l'inverse. Il était certes excitant pour l'esprit de retrouver la notion de régénération à la fois dans le taurobole et dans le baptême, mais, comme l'ont fait remarquer les critiques conservateurs, c'est seulement trois siècles après que Paul eut exposé sa doctrine du baptême comme mort et résurrection que le taurobole fut lui aussi conçu comme un moyen d'atteindre à la vie éternelle. La chronologie est un obstacle que certains pionniers (comme Frazer dans *Le Rameau d'or*) ne sont pas parvenus à franchir.

La seconde méthode interprète elle aussi le Nouveau Testament, et en particulier les Évangiles, en fonction de son milieu, ce dernier étant constitué par la communauté chrétienne primitive et sa transmission orale de la tradition. La méthode qui étudie cette transmission orale de la tradition primitive antérieurement à la rédaction des Évangiles s'appelle « critique des formes » ou « histoire des formes » et tente d'expliquer le développement des formes sous lesquelles s'est exprimée la tradition en fonction des besoins de la communauté[6]. La tradition orale originelle se serait propagée par petites unités indépendantes qu'on peut classer selon leurs formes. Celles-ci comprennent les Paroles du Seigneur isolées qui servaient de textes de base aux prédicateurs chrétiens, des paraboles, de courts récits en vue de l'édification et des histoires plus longues destinées à satisfaire la curiosité des auditeurs. Certains de ces « critiques des formes » pensent que ces dernières, qui trahissent davantage un intérêt pour les choses profanes, sont de date plus récente que les récits plus courts. Tous sont d'accord pour considérer comme secondaire le cadre même des Évangiles avec ses transitions rédactionnelles et le classement par sujets. Les évangélistes ont été des éditeurs plutôt que des auteurs.

Cette méthode est pleine d'intérêt lorsqu'elle insiste sur la situation dans la vie (le *Sitz im Leben*) de la communauté primitive de chaque partie de la tradition, mais il ne faudrait pas se laisser aller à exagérer sa fécondité. Souvent telle parole de Jésus semble s'adapter parfaitement à une situation postérieure à sa mort. Mais comment savoir si une pareille situation ne s'était pas déjà rencontrée de son vivant ? Il est souvent impossible d'en décider. Et d'autre part, lorsque Bultmann par exemple établit une distinction tranchée entre les éléments juifs et hellénistiques des Évangiles il néglige de considérer dans quelle mesure la pensée juive avait été hellénisée. Remarquons bien que cette méthode n'est pas seulement critique mais aussi théologique. Bultmann, par exemple, l'emploie avec un scepticisme radical afin de détruire le « Jésus de l'histoire » pour insister sur la nécessité du Christ de la Foi. Si d'autres « critiques des formes » ne doutent pas autant que lui des possibilités d'une connaissance historique de Jésus, tous s'accordent pour penser que la tradition et les Évangiles sont apparus au sein d'une communauté croyante en vue de l'édification et de l'instruction des croyants. Si par « Jésus de l'histoire » nous entendons un homme semblable à nous et à nos contemporains qu'il s'agirait de découvrir derrière la tradition, notre recherche, dès le départ, est vouée à l'échec [7].

D'autre part beaucoup de disciples de Bultmann (et jusqu'à un certain point Bultmann lui-même) ont fini par se rendre compte que le scepticisme n'est pas une partie intégrale de la méthode historique, et ces dernières années ils se sont efforcés de modifier leur orientation. Ils justifient ce changement en invoquant ce qu'ils estiment être une meilleure interprétation des exigences de la théologie. Puisque proclamer l'Évangile c'est proclamer une intervention de Dieu dans le temps et dans l'espace, il doit donc être possible d'entreprendre à partir de cette donnée une nouvelle recherche du « Jésus de l'histoire ». Mais si on n'a pas accepté les principes fondamentaux historiques ou théologiques de cette école, on sera porté à penser que rien n'impose d'admettre ni le scepticisme de la première étape ni cette justification sceptique de la « nouvelle recherche ». Quoi de plus banal en effet que de soutenir qu'en fait on connaissait ou on aurait pu connaître beaucoup plus de choses sur Jésus que certains savants ne le prétendaient possible il y a quelques décades ! Un tel jugement sur la valeur historique des Évangiles ne met en œuvre que le plus élémentaire bon sens ; il nous dispense de prétendre qu'il est devenu aujourd'hui légitime d'atteindre le « Jésus de l'histoire », parce que les derniers interprètes du *kérygme* estiment que cette recherche est nécessaire. On peut donc bien souligner avec Conzelmann qu'une telle approche « kérygmatique » n'est le fait que d'un groupe restreint — encore qu'influent — d'exégètes allemands qui établissent comme postulat une coupure radicale entre le Jésus de l'Histoire et le Christ de la Foi. Comme le dit Conzelmann : « La plupart des théologiens anglais ou bien ne tiennent pas compte de la « critique des formes », ou bien n'y voient guère qu'une classification formelle des types littéraires et se demandent si aucune conclusion historique ou systématique peut en être tirée. » Lui-même reconnaît qu' « une continuité substantielle (entre le Jésus de l'Histoire et le Christ de la Foi) est de fait plus probable historiquement que cette discontinuité qui se révèle difficilement capable d'expliquer la formation des catégories par lesquelles s'exprime la foi de la communauté primitive [3] ».

Comme ces théologiens anglais dont parle Conzelmann, nous inclinons à penser que le vrai mérite de la « critique des formes » est double : c'est d'abord le fait d'avoir reconnu l'existence de formes prélittéraires, ensuite et plus encore celui d'avoir reconnu implicitement que les Évangiles étaient les livres de l'Église. Ils ne lui sont pas antérieurs, ils n'ont pas d'existence en dehors d'elle ; comme l'Église elle-même ils ont été créés en réponse à la révélation de Dieu en Jésus-Christ, mais l'Église dans et pour qui ils ont été écrits existait avant eux.

Une autre méthode voisine des deux précédentes s'applique à l'étude du milieu néo-testamentaire : on analyse avec soin la situation sociale à l'époque de Jésus ou de ses apôtres et le récit de leurs faits et gestes est analysé en fonction de ce milieu. Certains critiques prétendent même appliquer cette méthode de façon radicale. La rigueur sera peut-être leur fait, mais non celui des documents offerts à leur étude. Les manuscrits de la mer Morte eux-mêmes ne reflètent pas forcément l'arrière-plan juif de Jésus et de ses disciples. On peut en dire autant du monde gréco-romain d'alors. Certes on peut faire bien des distinctions, mais comment expliquer que certains critiques considèrent le quatrième Évangile comme un livre entièrement grec alors que les connaisseurs de la littérature rabbinique ou qumranienne y perçoivent tout au long un écho de la pensée judaïque ? On peut même dire que le radicalisme systématique n'est pas le but que doive se proposer l'exégèse biblique ; ses résultats sont encore moins dignes d'admiration.

Ces deux méthodes, l'étude comparée du christianisme primitif et des autres religions et l'étude des formes traditionnelles, ont certainement enrichi notre compréhension de l'Écriture. Peut-être pas de façon aussi impressionnante que leurs spécialistes l'ont proclamé. Sans aucun doute l'étude du christianisme primitif à la lumière du judaïsme apocalyptique qu'il présuppose nous apportera beaucoup encore. Mais ne pas étudier le Nouveau Testament comme un produit de la foi chrétienne c'est lui ôter toute vie. Lui-même n'est pas objectif et il n'a pas été voulu pour se prêter à une étude « objective ». D'où l'importance de l'actuelle renaissance de la théologie biblique. Elle considère la Bible comme n'importe quel autre livre mais pousse son étude jusqu'à rechercher ce que les auteurs bibliques considéraient comme essentiel. Elle n'y cherche pas des renseignements que la Bible ne prétend pas fournir et même si la manière dont nous posons aujourd'hui les problèmes théologiques n'est pas identique à celle du Ier ou du IIe siècle nos études acquièrent une valeur renouvelée si nous considérons nous aussi le texte de la révélation biblique comme le livre des rapports de Dieu et des hommes et non pas simplement comme un recueil de faits. C'est en reconnaissant ainsi ce qu'est vraiment la Bible que l'exégèse contemporaine peut progresser vers de nouveaux résultats et de nouvelles découvertes.

Il nous faut prononcer ici le nom du prophète de la théologie biblique de notre temps, Karl Barth[9]. Nul n'a fait plus que lui pour restaurer à notre époque l'autorité de la Bible. En opposant avec rigueur la Parole de Dieu à la parole humaine, en mettant l'accent sur l'abîme qui sépare le Créateur de sa créature, Barth a rétabli la Bible à sa place d'honneur dans la structure de la foi chrétienne. S'il a parfois exagéré l'impuissance de la raison humaine, son outrance a constitué un correctif salutaire au libéralisme en quelque sorte stérile de l'exégèse du début du XXe siècle. Sa pensée nous a restitué l'esprit des grands Réformateurs.

Pourtant Barth est bien un homme du XXe siècle : il accepte tout ce que le XIXe a apporté de valable et le fait sien. Mais en même temps il nous exhorte à reconnaître que c'est Dieu qui nous parle dans la Bible.

« Qu'est-ce que la Bible ? La collection des monuments littéraires d'une religion nationale dans l'Asie Mineure antique et d'une religion cultuelle à l'époque hellénistique. C'est donc un document humain comme un autre ; qui ne peut élever *a priori* aucune prétention dogmatique à des égards spéciaux[10]. » Mais elle est aussi un livre de Dieu : « C'est de *cela* (de Dieu maître éternel du monde) qu'il s'agit dans la Bible. Et ailleurs aussi ? Certainement, ailleurs aussi. Seulement ce qui, ailleurs, n'est qu'un imposant arrière-plan, un mystère ésotérique, donc seulement une possibilité, c'est dans la Bible le premier plan, la révélation, le thème unique qui domine tout[11]. »

Il se peut que Barth n'ait pas attaché suffisamment d'attention à l'étude historique et philosophique. Peut-être des interprètes futurs pousseront-ils plus loin que lui dans ces directions. Sans doute ne parvient-il pas à rendre la Bible totalement compréhensible par rapport à la culture ancienne ou moderne. Mais il ne considérerait pas ces réserves comme des critiques et quiconque interprétera la Bible après lui devra tenir compte de la gigantesque préoccupation théocentrique qui a dirigé sa pensée.

L'INTERPRÉTATION DE LA BIBLE

Lorsque la première édition de ce petit livre est parue il y a quinze ans, il me semblait beaucoup plus facile qu'il ne me paraît aujourd'hui de décrire l'état actuel des choses et de faire des prédictions pour l'avenir. Si mes idées ont changé, c'est à cause d'une étude plus approfondie et c'est aussi à cause d'une évolution : certains traits autrefois très nets m'apparaissent maintenant comme brouillés, à moins qu'il ne s'agisse d'un mouvement vers une manière d'interprétation plus positive et plus unifiée. Dans un compte rendu de ma première édition, le regretté Joachim Wach faisait remarquer qu'on ne voyait pas très nettement si j'exposais les méthodes réellement employées par les exégètes ou si j'examinais les théories herméneutiques qu'ils appliquaient. Je désespère aujourd'hui de faire cette distinction, d'autant plus que, dans presque tout ce que j'ai lu des Pères de l'Église, méthodes et théories sont analogues mais nullement identiques. Et même je ne suis pas du tout certain qu'un système herméneutique détaillé soit possible ou même souhaitable. Wach allait jusqu'à dire que « si nous voulons une herméneutique nous devons énoncer clairement les principes théologiques sur lesquels elle devra être construite ». Cela signifie qu'il nous faut pénétrer dans ce que Bultmann appelle le « cercle exégétique » à l'intérieur duquel la théologie, qui d'une certaine manière est déjà fondée sur la Bible, façonne à son tour la méthode herméneutique, laquelle ensuite rend l'interprétation de la Bible possible pour la théologie. Cette sorte de cercle, vicieux en apparence, a été et demeure présent dans une large mesure à l'esprit des exégètes. Mais je demanderai maintenant si ou ou non la théologie est ou devrait être entièrement ou exclusivement fondée sur la Bible ; si (comme je le soutiendrai) ce n'est pas le cas, mais qu'elle est aussi façonnée par la tradition et par la raison, alors le cercle vicieux est rompu.

Il semblerait que la première tâche de l'exégète moderne soit d'ordre historique, en ce sens que ce qu'il cherche à découvrir dans les textes et les contextes qu'il étudie c'est la signification que leurs auteurs avaient voulu y faire trouver par leurs lecteurs. Son travail commencera donc par de la philologie. Il doit d'abord examiner le texte des documents objets de son étude pour découvrir comment ils ont été transmis et les changements par rapport à l'original perdu qu'entraîne le processus de transmission. En second lieu il doit étudier le genre littéraire des documents et les formes qui y sont employées, tenir compte de la langue et du style de l'auteur. En troisième lieu, tenir présent à l'esprit le contexte historique dans lequel l'auteur a écrit son œuvre. Pour le Nouveau Testament ce contexte est à triple face : *a*) l'une est le monde gréco-romain du début de notre ère dans toute sa variété, *b*) ce monde est plus ou moins étroitement relié au judaïsme dans toute sa variété, (*c*) enfin c'est la communauté primitive de l'Église chrétienne d'où la variété n'est pas davantage absente. De même, lorsqu'il s'agit de l'Ancien Testament, le contexte historique n'est pas simplement « le Proche-Orient ancien » à différentes époques, mais aussi Israël comme communauté de foi, de culte et de comportement avec toute la variété de culte qu'elle renfermait.

Cela signifie que l' « étude du milieu » ne consiste pas simplement à relier l'Ancien ou le Nouveau Testament aux cultures non juives ou non chrétiennes au sein desquelles Israël et l'Église se sont trouvés insérés. Il faut aussi, et cela importe davantage, établir le lien qui unit la littérature à la vie de la communauté dans laquelle et pour laquelle elle a été écrite. On pourrait même parler d'Israël ou de l'Église comme des hypothèses qui seules permettent de comprendre l'Ancien et le Nouveau Testament : pas d'Ancien Testament sans Israël, pas de Nouveau Testament sans l'Église. En même temps on ne saurait considérer toutes les parties de l'un ou l'autre Testament comme exprimant au même titre l'essence d'Israël ou de l'Église. Israël comme l'Église ont subi de diverses manières au cours de leur histoire l'influence du milieu non juif ou non chrétien qui les entourait et l'un des objectifs de l'exégèse historique est justement de déterminer jusqu'à quel point l'influence du milieu a pu s'exercer sur tels livres de la Bible ou sur telle partie de ces livres.

Toutes ces précautions prises on peut alors faire un pas de plus sur la voie de l'interprétation théologique. Après tout, on ne lit pas la Bible uniquement pour les renseignements qu'elle peut fournir sur l'ancien Israël et l'Église primitive. On la lit parce que beaucoup d'hommes croient qu'elle exprime quelque chose de l'action, des intentions et des exigences de Dieu. Et quelle est la raison de cette croyance ? Selon moi ils le croient : *a*) le plus généralement parce qu'ils trouvent que les mots de la Bible leur parlent directement tout comme ils parlaient aux hommes d'autrefois (autrement dit la condition humaine assure la continuité entre les hommes d'autrefois et nous-mêmes), *b*) plus particulièrement parce que ces hommes reconnaissent la continuité entre l'Église d'aujourd'hui et celle d'autrefois. La première raison est invoquée par les lecteurs de l'espèce la plus individualiste, la seconde par ceux qui se sentent davantage membres d'un corps, d'une communauté. Ces derniers sont plus conformes à l'idée que nous avons exprimée plus haut, à savoir que « l'hypothèse » de l'Église est nécessaire pour que les textes bibliques prennent leur pleine signification historique.

On peut naturellement soutenir qu'il n'existe aucune continuité réelle entre l'Église de maintenant et celle d'autrefois. Cet argument s'accompagne habituellement d'une théorie sur le déclin et la chute de l'Église primitive et la restauration ou re-création de la véritable Église à une date plus tardive. Pourtant une telle théorie néglige habituellement de dire dans quelle mesure on peut trouver dans le Nouveau Testament les éléments caractéristiques d'un tel déclin et suppose que l'Église restaurée ou recréée à neuf est exempte des influences étrangères venues du milieu qui l'entoure. C'est pourquoi le schéma « déclin et chute » appliqué à l'Église est difficile à justifier.

D'autre part il y a des différences évidentes entre l'Église d'aujourd'hui et celle de jadis. L'Église des temps apostoliques était différente de celle du IIIe siècle comme l'a montré Cyprien, suivi en cela par les Réformateurs et par les grands historiens du XIXe siècle. Il y a des différences entre l'Église des Apôtres et celle de n'importe quelle période postérieure : mais faut-il les interpréter comme un déclin ou au contraire comme un développement ou n'est-elle pas sans cesse en train de s'adapter à des milieux changeants ?

Cela signifie que la continuité entre l'Église d'aujourd'hui et celle d'autrefois ne doit pas se définir comme une identité, comme si n'importe quel membre de l'Église actuelle était automatiquement assuré de détenir l'interprétation correcte de la Bible. Un membre de l'Église d'aujourd'hui se situe à l'extrémité de la longue histoire de l'exégèse biblique et il peut voir en elle non seulement les différentes manières dont la Bible a été interprétée, mais en partie aussi dans quelle mesure les interprétations successives ont été conditionnées par les circonstances du passé de l'Église. Ce chrétien d'aujourd'hui peut trouver riche d'enseignement l'accent mis par Calvin sur le « témoignage intérieur de l'Esprit-Saint », mais il reconnaîtra aussi que, dans des circonstances diverses, l'Esprit a insisté sur des aspects différents de ce qu'il avait dit aux Églises.

Mais en dépit des diversités il y a aussi dans l'interprétation biblique un facteur d'unité. Il s'agit de l'insistance que met l'Église sur l'idée de tradition, tradition elle-même flexible, mais qui, en fin de compte, nous rattache à l'âge apostolique. La tradition s'exprime essentiellement par : *a*) les symboles de la foi, *b*) par la liturgie. Les symboles successifs de l'Église ont pu différer sur des points de détail mais il s'y manifeste une continuité des affirmations néo-testamentaires telles que : « Pour nous il y a un seul Dieu le Père et un seul Seigneur Jésus-Christ » (I Co 8, 6). Les liturgies de l'Église ont pu varier aussi, mais dans leur ensemble elles manifestent une continuité entre le baptême et le repas eucharistique des communautés apostoliques. Les symboles représentent les jugements que dans sa continuité l'Église a portés sur ce qui est le contenu théologique essentiel de la Bible ; les liturgies fournissent les contextes dans lesquels le sens religieux des passages bibliques doit être compris. Cela ne veut pas dire que les individus isolés qui étudient la Bible ne peuvent pas prétendre pénétrer le sens des textes d'une façon nouvelle, mais que leurs vues devraient être confrontées aux interprétations impliquées par le contexte de l'Église qui est (sous les formes mentionnées plus haut) le contexte même à l'intérieur duquel les textes ont été écrits.

L'exégèse biblique est-elle « scientifique » ? A cette question il semble qu'il faille répondre à la fois oui et non. Elle n'est pas scientifique au sens où un observateur dénué de présupposés et de préjugés pourrait simplement analyser les textes bibliques et fournir pour les expliquer une hypothèse sensationnelle par sa nouveauté et par sa justesse. Une hypothèse de ce genre aurait peu de chances d'être nouvelle, compte tenu de la multiplicité de celles qui ont été formulées, disons au cours des deux derniers siècles ; elle aurait aussi peu de chances d'être vraie si on considère le peu de stabilité d'hypothèses de ce genre lorsque leurs bases fondamentales sont mises en question. Par exemple : les critiques du Nouveau Testament ont souvent observé qu'il y a dans les Évangiles deux représentations de la venue du Royaume de Dieu. Selon l'une il est entièrement futur mais imminent, selon l'autre il est déjà en partie présent dans le ministère de Jésus. On peut poursuivre en considérant ces deux opinions soit comme complémentaires, soit comme exclusives l'une de l'autre. Si elles s'excluent mutuellement, une seule des deux peut prétendre représenter la pensée de Jésus. De façon très générale l'Église primitive croyait que le Royaume se trouvait en partie présent dans le ministère de Jésus. On en conclut que l'idée de Jésus était que le Royaume allait se réaliser dans l'immédiat. Un tel raisonnement suppose que mise en présence du non-accomplissement des prédictions de Jésus, l'Église a dû réinterpréter son message et ainsi l'a déformé. Mais si l'Église était aussi soucieuse de réinterprétation, pourquoi trouvons-nous dans l'Évangile les autres passages qui parlent du Royaume au futur ? Les faussaires de l'Église se seraient montrés en les conservant singulièrement timides et peu intelligents. L'opinion que Jésus n'a rien proclamé d'autre que la venue future du Royaume se fonde : *a*) sur un refus de considérer ses paroles en apparence contradictoires comme en réalité complémentaires, et *b*) aboutit à une image bien peu vraisemblable du travail de ceux qui ont transmis et conservé ses paroles.

Cela ne veut pas dire que les évangélistes aient transcrit à la lettre dans les Évangiles les paroles de Jésus telles qu'il les a pronconées, mais simplement qu'une méthode purement analytique à la recherche de contradictions réelles ou supposées ne saurait convenir à l'interprétation de la Bible qui, elle, reflète ce qu'il y a dans l'Église d'unité-dans-la-diversité.

Mais d'autre part la critique biblique est bien scientifique en ce sens qu'elle suppose l'emploi de l'analyse avant et pendant la synthèse vers laquelle elle tend. Il y a un élément de variété dans les diverses manières dont l'Église a proclamé l'Évangile et dans la façon dont ses membres ont su en dégager les implications. On peut expliquer au moins en partie cette variété par la diversité des circonstances historiques. De plus, avant d'atteindre au niveau de l'analyse historique, l'exégète est tenu d'appliquer les méthodes relativement scientifiques de la critique textuelle et de l'histoire littéraire.

La critique textuelle, rarement pratiquée dans l'Église ancienne, consiste en ceci : *a*) recueillir et comparer les anciens manuscrits, les versions et citations (tradition indirecte) ; *b*) tenter de trouver l'explication de leurs concordances ou de leurs discordances ; le but de la méthode étant de retrouver la plus ancienne forme du texte et (— ou —) celle qui se rapproche le plus de l'original. Ces dernières années d'importantes découvertes de textes nouveaux ont été faites parmi les Manuscrits de la mer Morte pour l'Ancien Testament et dans des papyrus trouvés en Égypte pour le Nouveau. Ces découvertes ont permis de faire remonter la tradition textuelle d'environ un millénaire pour l'Ancien Testament et jusqu'aux IIe et IIIe siècles pour le Nouveau. De plus quelques progrès ont été faits sur le plan méthodologique. Auparavant la critique textuelle de la Bible suivait les démarches de la philologie classique, domaine dans lequel le petit nombre des manuscrits existants permet d'en établir l'arbre généalogique de ces témoins. Mais lorsqu'il s'agit de la Bible, l'abondance des matériaux et le fait que le texte est très largement « contaminé » rendent beaucoup moins saisissables les rapports de filiation des manuscrits. Il existe des textes types, mais peu de familles au sens strict du mot. Cette observation pourrait bien impliquer que sur les points où les manuscrits divergent, la découverte du texte authentique, original, est devenue une « impossible possibilité ».

Dans quelle mesure la critique littéraire est-elle ou n'est-elle pas scientifique ? Elle est scientifique lorsqu'elle s'occupe du vocabulaire et du style de l'auteur qu'elle étudie. Style et vocabulaire peuvent en effet être compris par un examen soigneux des documents : ceux-ci une fois compris éclairent ce que l'auteur a voulu dire et la forme selon laquelle il l'a dit. Ces dernières années les exégètes ont avec raison apporté beaucoup plus d'attention à cet aspect de la question qu'à l'établissement de la date ou à l'identification de l'auteur des différentes parties de la Bible. En fait ces deux derniers aspects relèvent plutôt de la critique historique que de l'analyse littéraire. Or la critique historique doit venir après l'étude littéraire et non la précéder. Si on veut rétablir dans son contexte historique un phénomène littéraire comme par exemple un des livres de la Bible, il faut d'abord savoir ce qu'est ce phénomène littérairement parlant. Avant de traiter des sources présumées de l'un des évangiles l'exégète doit d'abord acquérir une connaissance suffisante du style de l'évangéliste et de son vocabulaire. Il lui faut apprendre de quelle manière l'évangéliste exprime ses idées. On peut faire la même observation à propos des Épîtres de Paul. Le premier travail de l'interprète sera d'essayer de découvrir ce que Paul a dit et comment il l'a dit (critique textuelle et littéraire). C'est seulement après s'être livré à cette analyse qu'il pourra commencer à se demander pourquoi il l'a dit.

C'est à partir de là que l'exégèse biblique passe au-delà de ce qu'on peut considérer comme relativement scientifique et entre dans le domaine de l'histoire et de la théologie. En tant qu'historien l'exégète ne considère pas seulement les documents mais aussi les situations sous-jacentes de l'époque. C'est ainsi qu'en étudiant l'Ancien Testament il recherche dans les légendes prophétiques à la fois les reflets d'une époque très reculée et la valeur qu'elles revêtaient aux yeux de ceux qui les ont transmises et consignées par écrit. Il se demande non seulement comment elles ont été transmises mais aussi pourquoi elles l'ont été. Dans le Nouveau Testament il cherche à découvrir le noyau commun de prédication et d'enseignement sous-jacent aux divers documents, mais il ne doit pas, ou du moins ne devrait pas essayer de gauchir l'unité en uniformité.

Après avoir considéré tous ces facteurs qui lient entre eux tous les livres de la Bible, l'exégète devra encore découvrir les rapports de ces livres avec les divers milieux au sein desquels ils ont été écrits. Le noyau central de ce milieu est, comme nous l'avons suggéré, Israël et le Nouvel Israël qu'est l'Église. Mais ni l'un ni l'autre de ces deux Israël n'a existé dans un vide historique. Telle qu'elle se manifeste dans l'histoire l'Église est l'Église visible proclamant son Évangile et vivant sa vie au sein de civilisations variées, exerçant sur elles son influence et subissant la leur. L'apôtre Paul lui-même affirme s'être « fait tout à tous » au service de l'Évangile (I Co 9, 22). Un des buts de l'étude du milieu est de voir comment et dans quelle mesure l'Évangile a été modifié pour lui être présenté. Cette recherche est à la fois historique et théologique : historique dans la mesure où l'interprète s'intéresse à l'histoire de ses modifications en fonction : a) de l'histoire de l'Église, et b) de l'histoire de la civilisation, en l'espèce du monde juif et du monde romain. Elle est théologique dans la mesure où l'exégète découvre l'Évangile chrétien sous-jacent à ces diverses modifications et qui, modifié ou non, conserve encore pour nous tout son sens.

Là l'exégète court un risque d'erreur considérable. Il a grand peine à éviter l'influence de ses jugements historiques sur ses conceptions théologiques et, inversement, de la théologie sur l'histoire. Tout ce qu'il peut espérer est de pouvoir travailler avec une efficacité et une liberté suffisantes dans les deux domaines. En ce qui concerne l'histoire il peut essayer d'éviter les clichés conventionnels qui transforment les événements en modèles stéréotypés. Dans une admirable étude sur *La Sémantique du langage biblique* (1961), James Barr s'est attaqué à certains de ces clichés, en particulier au contraste verbal entre « hébreu » et « grec ». D'autres continuent à circuler, s'imposant à nous avec plus ou moins d'autorité : « prophète » et « prêtre », « foi » et « moralisme », « authentique » et « rédactionnel », qui tous reflètent l'obstination figée qu'a mise le libéralisme du XIXᵉ siècle à formuler sa théologie en termes pseudo-historiques. Et cela montre que la mauvaise théologie et la mauvaise histoire travaillent de concert.

Pareillement, soutenir que Jésus n'a proclamé le Royaume qu'en termes de futur paraît bien dicté par une préoccupation théologique. En effet, pour soutenir comme on l'a fait « qu'après l'an 100 il n'y a plus de christianisme », il faut bien soutenir que Jésus n'a jamais envisagé que la vie de cette Église puisse se prolonger. Partant de cette base, l'histoire de l'Église devient l'histoire d'une longue erreur. Le baptême a été emprunté à Jean-Baptiste et l'interprétation qu'en donne Paul comme mort et résurrection avec le Christ est venue des religions à mystères du milieu gréco-romain. L'eucharistie ne peut pas avoir son origine dans la dernière cène, car le récit évangélique de celle-ci est une légende forgée pour rendre compte du rite. On ne va pas jusqu'à nier que Jésus ait eu des disciples, mais qu'il y en ait douze et portant le nom d'apôtres serait simplement le fait de l'imagination créatrice née de cette institution même qu'il n'aurait pas fondée. Ce genre d'interprétation ne laisse pas grand-chose intact du Nouveau Testament et donnerait à penser que l'Église primitive, sans continuité ou presque avec Jésus, n'était composée que de syncrétistes à l'imagination délirante. Toujours dans cette hypothèse, peut-être y aurait-il eu un « Jésus de l'histoire », mais, s'il a existé, toute image historique de lui a été supprimée et (ou) déformée au profit du « Christ de la foi ». Mais ici intervient de façon significative l'apport d'une nouvelle critique allemande que James M. Robinson vient de présenter avec autorité dans *A new Quest of the historical Jesus* (1959) et qui fournit une contribution importante. En premier lieu il est évident que l'Église primitive ne s'identifie pas totalement avec la communauté des disciples d'avant la résurrection. Les chrétiens eux-mêmes se rendaient compte qu'il s'était produit quelque chose de nouveau. Et en fait cette « vie nouvelle » est une des principales conséquences de la résurrection. De nouvelles lignes de pensée sont également apparues. Paul affirme en effet que le Christ s'est fait « ministre des circoncis » (Rm 15, 8) et parle de lui-même comme de celui qui, comme conséquence de la résurrection, a été envoyé pour proclamer le Christ parmi les gentils (Ga 1, 16). Mais d'autre part (et c'est également important), il est évident qu'une continuité n'a cessé d'exister entre l'Église primitive et les disciples d'avant la résurrection. Paul lui-même parle « des douze » (I Co 15, 5). Il connaît des traditions qui viennent de Jésus. Et surtout la prédication chrétienne a toujours pour centre Jésus, ses actions, ses paroles. L'existence même de cette prédication, autrefois comme aujourd'hui, implique une certaine connaissance de Jésus. C'est pourquoi l'enquête sur « le Jésus de l'histoire » a pris maintenant un nouveau départ ou du moins s'est animée d'un esprit nouveau. Parmi ses partisans les plus en vue on peut citer W. G. Kümmel (*Verheissung und Erfüllung,* 1956) et G. Bornkamm (*Jesus von Nazareth,* 1956).

Dans la première édition de cet ouvrage je cherchais à jeter un pont sur l'abîme qui sépare ces deux interprétations, historique et théologique, de la Bible en insistant sur la subjectivité toujours présente dans l'exégèse et en soutenant qu'il existe dans les textes certaines significations qui ne deviennent claires ou plus claires qu'à la lumière d'une expérience postérieure dans la vie de l'Église. Il ne semble plus aussi nécessaire aujourd'hui d'insister sur cette présence irréductible de la subjectivité. On pourrait même dire qu'on a trop insisté sur la subjectivité et que l'exégète doit reconnaître dans une certaine mesure l'objectivité du document sur lequel il travaille. Pour parler la langue de Martin Buber, il ne doit pas traiter le document ou son auteur comme un « ça » mais comme un « Toi », un « Toi » qui s'adresse à lui. Le travail exégétique devient un dialogue, cet « Autre » doit l'emporter sur la subjectivité de l'interprète. Quant aux divers sens que les textes ont acquis au cours de l'histoire de leur interprétation au sein de l'Église, une telle diversité ne diffère pas de ce que nous révèlent les autres phénomènes littéraires ou historiques. Il n'existe pas une interprétation qu'on puisse appeler authentique des œuvres d'Homère, de Virgile ou de Shakespeare. Les interprétations changent en fonction des circonstances historiques qui conditionnent les lecteurs. C'est ainsi que le Forum Romain signifiait telle chose pour les Romains du Ier siècle, une autre pour Alaric, une autre pour un Anglais du XVIIIe siècle, une autre enfin pour chacun de nous. L'idée que les textes pourraient admettre une interprétation définitive est le type même d'une hypothèse sans fondement.

Aujourd'hui le problème n'est pas tant de savoir quelle place accorder à la variété que de proposer des limites. Un texte biblique recèle-t-il au moins un sens fondamental, ou plusieurs de tels sens ? Les générations qui nous ont immédiatement précédés pensaient qu'on pouvait retrouver ce sens premier en replaçant le texte dans son milieu historique originel, son message apparaîtrait, s'énonçant sans équivoque. Cette façon de voir conduisait à ce qu'on a appelé la « parallélomanie » : on rassemblait tous les textes, qu'ils fussent juifs ou grecs, présentant quelque analogie avec le texte étudié, dans l'espoir que la signification de celui-ci pourrait être expliquée comme étant identique ou pratiquement identique à celle d'un texte parallèle. C'était là une idée fausse car souvent des textes parallèles dans leur forme ont été écrits pour exprimer des vues tout à fait différentes. Ce qui compte, c'est le contexte. Et dans le cas des textes néo-testamentaires, le contexte doit être cherché au sein de l'Église chrétienne, car c'est dans l'Église et pour l'Église que ces textes ont été écrits par des membres de l'Église ; c'est l'Église qui les a conservés, choisis et transmis. Le sens premier ou plénier de ces textes ne pourra être saisi qu'au sein de la pensée et de la vie de l'Église entendues au sens large. Il en résulte que l'exégète ne saurait se contenter d'une connaissance limitée, superficielle ou partielle de l'Église d'autrefois. Sa science devra être « catholique » au meilleur sens du mot. Elle ne devra pas être étroite au point par exemple de se concentrer sur les

Synoptiques au détriment de Jean ou sur les grandes Épîtres de Paul au détriment des Épîtres Pastorales ou de l'Épître aux Hébreux ou encore sur Paul aux dépens de l'Épître de Jacques. Un tel parti pris unilatéral, tout comme les antithèses pseudo-historiques mentionnées plus haut, aboutissent à des interprétations théologiquement et historiquement faussées du Nouveau Testament, exactement comme l'exagération du côté prophétique au détriment du sacerdotal a pu conduire à une exégèse appauvrie de l'Ancien Testament.

On pourra constater qu'en plaidant de la sorte pour une interprétation « catholique » de la Bible nous n'avons fait que reprendre quant à l'essentiel les principes déjà exposés par les vieux auteurs comme Irénée, Tertullien et Augustin (voir chapitre 7). Nous l'avons fait en nous fondant avant tout sur l'idée que l'Église constitue le contexte historico-théologique essentiel à l'intérieur duquel se manifeste le plus clairement la signification de la Bible. Mais un autre type d'argument a pris ces dernières années un relief particulier, notamment dans les travaux de Jean Daniélou. Il est fondé sur la fonction historique de la tradition. La science moderne a montré que beaucoup de livres de l'Ancien comme du Nouveau Testament représentent l'aboutissement d'une tradition orale. La tradition transmise à l'intérieur et par les soins de la communauté est donc antérieure au texte écrit qui est parvenu jusqu'à nous. Cependant nous savons par des preuves extrinsèques que la communauté a continué d'exister, elle n'a pas pris fin quand la tradition s'est cristallisée sous la forme d'un texte. C'est pourquoi la tradition est à la fois antérieure et postérieure à sa formulation écrite et elle a autant d'importance que l'Écriture elle-même comme témoin de la foi et de la vie de l'Église. En d'autres termes, l'Écriture n'est que l'expression écrite de la tradition.

Cette manière de raisonner peut être confirmée si on examine la question du canon du Nouveau Testament. Il ne semble pas qu'on puisse légitimement soutenir que c'est la Bible (Ancien ou Nouveau Testament, ou tous les deux) qui a donné naissance à l'Église. Car et la Bible et l'Église nous révèlent en même temps l'action de Dieu et les réponses des hommes — le Nouveau Testament en particulier, révélant l'action de Dieu dans le Christ, ou, pour employer un terme plus traditionnel, l'Incarnation. Des deux c'est cependant l'Église qui est la première. Elle a porté une sorte de jugement collectif en choisissant certains livres pour constituer le Nouveau Testament à l'exclusion de certains autres. Ce n'est qu'après beaucoup de temps que l'Église s'est décidée à accepter des documents comme l'Épître aux Hébreux, les sept Épîtres catholiques et l'Apocalypse, et à exclure du canon certains écrits des pères apostoliques. Certes on peut se demander avec Cullmann si cette décision finale n'est pas susceptible d'être révisée. Mais il faut bien se souvenir que cette décision « finale » n'est pas l'œuvre du Iᵉʳ ni même du IIᵉ siècle, ni le résultat d'un concile, mais qu'elle a été élaborée graduellement, et qu'un accord général n'a été atteint qu'au cours du IVᵉ ou du Vᵉ siècle. Cela signifie que le canon tel que nous le connaissons n'est pas antérieur à nos symboles, aux plus anciens conciles, au ministère institutionnel et à la théologie de l'Église ancienne.

Lorsque les Réformateurs ont découvert comme un grand abîme entre les Écritures et le reste de la littérature chrétienne, cela tient au moins en partie : a) à leur manque de perspective historique sur le développement de l'Église, et b) au fait qu'il leur manquait les documents du IIᵉ siècle qui relient le Nouveau Testament à la littérature chrétienne plus évoluée du IIIᵉ et du IVᵉ siècle. Les Réformateurs ignoraient la plupart des écrits des Pères apostoliques et les œuvres authentiques des apologistes. Ils connaissaient les livres apocryphes (ou deutérocanoniques) de l'Ancien Testament, mais répugnaient à se servir de ces documents comme arrière-plan du Nouveau. Pour celui-ci les Réformateurs ne pouvaient utiliser pratiquement aucun contexte historique.

La situation est aujourd'hui bien différente. Beaucoup de lumière a été projetée sur le milieu historique du Nouveau Testament et cela non seulement par l'étude toujours plus précise du monde gréco-romain, du judaïsme (hellénistique et rabbinique) et des débuts du christianisme tel qu'il apparaît à la fois dans et hors de celui-ci, mais aussi par la découverte (à partir de 1947) des Manuscrits de la mer Morte et de la bibliothèque gnostique de Nag Hammadi en Égypte (qui nous a fourni plusieurs évangiles apocryphes, et notamment celui de Thomas). Ces découvertes, non encore totalement exploitées, ont complètement renouvelé l'étude du contexte historique de la Bible et du Nouveau Testament en particulier.

Mais en même temps le problème de l'interprétation théologique à l'intérieur même du contexte de l'Église a continué à se poser de façon aiguë. Pendant les quinze dernières années la question de la « démythologisation » mise en vedette par R. Bultmann a occupé le centre de la scène. Selon Bultmann, l'homme d'aujourd'hui formé par la science moderne et par la philosophie scientifique ne peut plus croire en un « univers à trois dimensions », ni en une eschatologie apocalyptique, ni aux miracles. C'est pourquoi l'exégète a le devoir de dégager le sens profond que la Bible exprime dans un langage mythique (langage qui utilise par exemple l'ancienne image du monde) et de le traduire en un langage acceptable pour l'homme moderne. La nouveauté de cette « démythologisation » ne semble pas résider dans son attitude critique envers l'image du monde que se faisaient les anciens, car une telle critique a déjà été exprimée avec force par beaucoup d'auteurs depuis Spinoza (voir chapitre 10), et même l'avait déjà été par certains des Anciens eux-mêmes comme Origène par exemple (voir chapitre 5). Ce qui est nouveau c'est le caractère radical de l'effort déployé pour distinguer dans la Bible les éléments fondamentaux des secondaires et pour réinterpréter les premiers en termes de philosophie existentialiste. C'est ainsi que l'œuvre originale et authentique de l'évangéliste Jean devient une profession de foi existentialiste gâtée par des remaniements et des adjonctions dus à un « rédacteur ecclésiastique ».

A mon avis ce genre d'interprétation présente un double inconvénient. Le premier est qu'elle suppose l'existence d'une unique « image antique du monde » qui peut être réinterprétée chaque fois qu'elle réapparaît dans le Nouveau Testament, et que de la même manière il existe une seule conception moderne du monde et que celle-ci est exacte. En second lieu, les textes bibliques subissent alors une sorte de métamorphose quand leur sens historique le plus évident est transmué en quelque chose qui s'accorde mieux avec les exigences de l'exégète existentialiste. Sans doute il faut bien admettre qu'il y a deux difficultés bien réelles jusqu'à un certain point : la Bible présente des passages qui sont davantage le reflet de conditions historiques qu'une proclamation directe de l'Évangile (par exemple I Co 11, 3-16). Mais nous ne devons pas oublier que tout le reste du Nouveau Testament est aussi conditionné historiquement. Il est vrai également, comme nous l'avons déjà dit, que pour la plupart des passages de la Bible il n'existe pas d'interprétation unique, absolument définitive, qui épuise entièrement toutes les virtualités et les richesses de la plupart des textes de la Bible. Mais la difficulté majeure qu'entraîne la « démythologisation », c'est qu'elle essaye d'introduire de force dans les textes un sens qu'ils ne contiennent pas ou du moins ne paraissent pas pouvoir contenir. La Bible n'est pas la seule source de la théologie chrétienne, quoiqu'elle en soit la source principale. Je répète ici la citation déjà faite de Richard Hooker : « De même que des louanges exagérées décernées à des hommes diminuent ou altèrent souvent la valeur d'un éloge mérité, de même devons-nous prendre bien garde de ne pas attribuer à l'Écriture plus qu'elle ne peut avoir, de peur que le caractère invraisemblable de cela soit cause que même ce qu'elle possède en abondance ne soit pas estimé avec la révérence qui lui est due. » Le terrain sur lequel peut utilement s'exercer la « démythologisation » n'est pas l'exégèse biblique, mais la théologie systématique de l'Église dont la « théologie biblique » n'est qu'une partie seulement. Nous devons donc considérer que l'effort qui se manifeste aujourd'hui en vue d'élaborer une « théologie biblique » doit être dans une très large mesure mis en rapport avec l'exigence de « démythologisation ». La théologie biblique est importante dans la mesure où elle représente une tentative pour systématiser les « vues particulières » des différents auteurs de la Bible et pour déterminer le ou les foyers centraux de leur pensée. Mais, même élaborée avec succès, une telle théologie biblique ne saurait se substituer à la théologie chrétienne telle que plusieurs siècles de pensée chrétienne l'ont produite. La théologie biblique peut fournir des normes en dehors desquelles l'Église ne peut pas demeurer chrétienne, mais ces normes ne constituent pas toute la théologie.

En un sens l'Écriture parle au lecteur plus directement que ne le fait tout le reste de la littérature chrétienne. Ce caractère direct est dû en partie au fait que les prophètes et les apôtres étaient très proches des actions de Dieu sur lesquelles ils portent témoignage. Mais il est aussi dû au fait que l'Église a reconnu que cet ensemble d'écrits porte en quelque sorte l'empreinte de l'Esprit-Saint. C'est à cet égard que nous sommes d'accord pour admettre qu'une certaine « pré-compréhension » (*Vorverständnis*) de Dieu est une condition préalable nécessaire à l'exégète de la Bible[1]. Selon Bultmann, si l'existence de l'homme n'était pas motivée (consciemment ou non) par la recherche de Dieu au sens où Augustin a pu écrire *Tu nos fecisti ad To, et cor nostrum inquietum est, donec requiescat in Te,* alors l'homme ne reconnaîtrait jamais Dieu comme Dieu dans aucune de ses manifestations. Selon moi, le « consciemment ou inconsciemment » de Bultmann signifie : *a*) qu'il reconnaît une analogie générale dans l'ensemble des situations humaines, *b*) et plus particulièrement la continuité de la vie de l'Église. Ainsi alors qu'il est possible à un lecteur non chrétien du Nouveau Testament d'en pénétrer authentiquement certains aspects, la compréhension plus spécifique qu'on acquiert en le reconnaissant comme le livre de l'Église ne peut être atteinte que par une participation à la vie de celle-ci. C'est en ce sens, me semble-t-il, qu'on peut parler, avec Bultmann, de la nécessité d'une « pré-compréhension ». Mais en même temps j'hésiterais à dire que la Bible ne peut être comprise et interprétée que par les chrétiens, en particulier à cause de tout ce que notre science moderne doit aux grands exégètes juifs et incroyants. Il serait préférable de soutenir que les deux voies de pénétration, celle par l'homme en tant que tel et celle par le chrétien en particulier, doivent être maintenues ouvertes. L'exégète chrétien a le devoir de se souvenir qu'au-dessus de la Bible comme dans l'Église se tient le vrai Dieu vers lequel toutes deux nous adressent ; quant au non-chrétien, il doit se souvenir de la communauté pour laquelle la Bible a été créée. Tous deux doivent garder présentes les paroles par lesquelles Bultmann conclut son mémoire : « L'exégète ne doit-il pas « interpréter » l'Écriture après avoir « entendu » sa parole et en être devenu comptable ? Mais comment pourrait-il la percevoir sans la *comprendre* ? Le problème de l'interprétation est justement celui de la compréhension. » On peut accepter cette affirmation mais à condition de ne pas perdre de vue le danger latent que recèle le mot « comprendre ». S'il signifie que je ne peux pas comprendre la Bible sans la récrire selon mes catégories personnelles, alors c'est que je remplace à la fois la Bible et l'Église par ces catégories et qu'en dernière analyse je crée Dieu à ma propre image. C'est là naturellement le danger que recèlent tous les systèmes théologiques, en particulier ceux qui se servent de la méthode allégorique ou d'un de ses équivalents modernes (Daniélou a fait remarquer certaines analogies entre la « démythologisation » et l'allégorisme d'Origène). L'exégète peut s'attacher avec tant d'ardeur à comprendre selon les catégories modernes qu'il peut en arriver à négliger l'insistance avec laquelle Barth a parlé du caractère étrange de la Bible. L'apôtre Paul n'était pas opposé à un langage analogique et aux métaphores tirées de la pensée de son temps, mais il a insisté d'autre part sur les limites de ces catégories « modernes ». Il pouvait parler de la mort et de la résurrection en se servant de comparaisons avec des phénomènes naturels (encore qu'il ne les regardât pas comme purement naturels), mais il ne pouvait pas se borner à de telles analogies :

« Oui, tandis que les Juifs demandent des signes
et que les Grecs sont en quête de sagesse,
nous prêchons, nous, un Christ crucifié
scandale pour les Juifs
et folie pour les païens, mais,
pour ceux qui sont appelés
Juifs comme Grecs,
c'est le Christ, puissance de Dieu et sagesse de Dieu » (I Co 1, 22).

NOTES

INTRODUCTION

1. W. Dilthey, *Gesammelte Schriften* V, 278 ; dans Hodges, *Wilhelm Dilthey : An Introduction*, New York, 1944, 128.

CHAPITRE I

JÉSUS ET L'ANCIEN TESTAMENT

1. Sanhédrin 99a ; B. H. Branscomb, *Jesus and the Law of Moses* (New York, 1930), 156.
2. E. v. Dobschütz, « *Matthäus als Rabbi und Katechet* », *Zeitschrift für die neutestamentliche Wissenschaft* 27 (1828), 338-348.
3. J. Bonsirven, *Exégèse rabbinique et exégèse paulinienne* (Paris, 1939), 24.
4. W. Manson, *Jesu the Messiah* (Philadelphie, 1946), 229 sq.
5. B.T.D. Smith, *S. Matthew* (Cambridge, 1926), 96 ; Branscomb, *op. cit.*, 216.
6. *Sifre Deut.*, 49 fin, cité par G. F. Moore, *Judaism in the age of the Tannaim* (Cambridge, 1927), I, 319, n. 4.
7. Moore, *op. cit.*, 319.
8. E. Klostermann, *Jesu Stellung zum Alten Testament* (Kiel, 1904), 28.

CHAPITRE II

PAUL ET L'ANCIEN TESTAMENT

1. Voir ma note dans *Harvard Theological Review* 39 (1946), 71 sq.
2. Il faut remarquer que le verset Deutéronome 25, 4 ne présente aucun

rapport avec le contexte où il apparaît, ce qui a pu suggérer l'idée d'un sens caché comme cela s'est produit dans le cas de Melchisédech.

3. Pseudo-Héraclius, *Quaestiones homericae*, 6.

4. J. Bonsirven, *Exégèse rabbinique et exégèse paulinienne* (Paris, 1939), 309 sq.

5. Cf. W. Morgan, *The Religion and Theology of Paul* (Edimbourg, 1917), 3 sq ; E. Stauffer, *Die Theologie des Neuen Testaments* (Genève, 1945), 3 sq.

6. Bonsirven, *op. cit.*, 298 sq. Reprenant son argumentation au sujet de la promesse dans Rom. 4, Paul ne donne pas la même interprétation du mot « descendance ».

7. O. Michel, *Paulus und sein Bibel* (Gütersloh, 1929), 29.

8. *Ibid.*, 178 sq.

9. C. F. Burney, « *Christ as the APXH of Creation* », *Journal of Theological Studies* 27 (1925-1926), 160 sq.

10. Bonsirven, *op. cit.*, 307 ; cf. Philon, *Paen.* 183.

11. Michel, *op. cit.*, 111. Cf. W. L. Knox, *Some Hellenistic Elements in Primitive Christianity* (Londres, 1944), 34 sq.

CHAPITRE III

PLACE DE L'ANCIEN TESTAMENT
DANS LE NOUVEAU

1. E. F. Scott, *The Epistle to the Hebrews* (New York, 1922), 53. Sur l'exégèse de l'Epître aux Hébreux voir Lestringant, *Essai sur l'unité de la révélation biblique* (Paris, 1942), 127 sq.

2. G. Wuttke, *Melchisedech der Priesterkönig von Salem* (Giessen, 1927), 3 sq.

3. R. Hanson, « *Moses in the Typology of St Paul* », *Theology* 48 (1945), 174 sq. ; Hébreux 3 ; I. Lévy, *La légende de Pythagore* (Paris, 1927), 334 sq.

4. H. Strack-P. Billerbeck, *Kommentar zum Neuen Testament aus Talmud und Midrasch* I (Munich, 1922), 78.

5. P. Lestringant, *Essai sur l'unité de la révélation biblique* (Paris, 1942), 117 sq.

6. F. J. A. Hort, *Judaistic Christianity* (Londres, 1894), 130 sq. L'œuvre de Papias de Hiérapolis offrait de tels exemples d'exégèse de type juif ; voir Jérôme, *De viris illustribus* 18, et J. R. Harris dans l'*American Journal of Theology* 2 (1900), 499.

7. L'ouvrage de L. Goppelt *Typos : die typologische Deutung des Alten Testaments im Neuen* (Gütersloh, 1939), en particulier p. 1-21, représente une tentative moderne pour justifier cette méthode.

8. *Die Theologie des Neuen Testaments* (Genève, 1945), 234. Voir aussi chapitre VII.

CHAPITRE IV

LA BIBLE AU II° SIÈCLE

1. H. Windisch, *Der Barnabasbrief* (Tübingen, 1920), 395.
2. *Barnabé* 9, 8 : Le nombre 318 signifie Jésus parce qu'il s'écrit en grec T I H, soit la croix suivie des deux premières lettres du nom de Jésus.
3. J. Knox, *Marcion and the New Testament* (Chicago, 1942) ; mais voir aussi *The Letter and the Spirit* (Londres, 1957), 115-119.
4. E. R. Goodenough, *The Theology of Justin Martyr* (Iéna, 1925).
5. Apol. I, 1, p. 26 Goodsp. ; cf. *Dial.* 120, 6, p. 240 ; P. R. Weis, « Some Samaritanisms of Justin Martyr », *Journal of Theological Studies* 45 (1944), 199 sq.
6. A. Harnack, *Sitzungsberichte d. preuss. Akad, d. Wiss.*, 1902.
7. « *The Decalogue in early Christianity* », *Harvard Theological Review* 40 (1947), 1 sq.
8. P. de Labriolle, *La réaction païenne* (7° éd., Paris, 1942), 119.
9. N. Bonwetsch, *Die Theologie des Irenäus* (Gütersloh, 1925) ; J. Hoh, *Die Lehre des Hl. Irenaüs über das Neue Testament* (Münster, 1919), 86-117.
10. A. Harnack, « *Die Presbyter-Prediger bei Irenäus* », *Philotesia* (Berlin, 1907), 1 sq.
11. Voir chapitre VII.

CHAPITRE V

L'ÉCOLE D'ALEXANDRIE

1. C. Siegfried, *Philo von Alexandria als Ausleger des Alten Testaments* (Iéna, 1875) ; P. Heinisch, *Der Einfluss Philos auf die älteste christlische Exegese* (Münster, 1908) ; H. A. Wolfson, *Philo* I-II (Cambridge, Mass., 1947).
2. W. Bousset, *Jüdisch-Christlicher Schulbetrieb in Alexandria und Rom* (Göttingen, 1915), 8.
3. Heinisch, *op. cit.*, 67 sq.
4. Sur les Gnostiques et leur exégèse voir *Gnosticism and early Christianity* (New York, 1959 ; trad. franç. *La Gnose et les origines chrétiennes*, Paris, 1964).
5. W. Foerster, *Von Valentinus zu Heracleon* (Giessen, 1928).
6. C. Mondésert, *Clément d'Alexandrie* (Paris, 1944), 153 sq.
7. *Ibid.*, 97 sq.
8. F. Prat, *Origène, le théologien et l'exégète* (Paris, 1907), III sq ; A. Zöllig, *Die Inspirationslehre des Origenes* (Freiburg, 1902), 91 sq.

9. *Op. cit.*, 127 sq., 175 sq. ; Zöllig, *op. cit.*, 102 sq.
10. Zöllig, *op. cit.*, 96.
11. *Ibid.*, 96 f. ; cf. *De princ.* I. *praef.* 4 (p. 11, 10 K) ; IV. 2, 2 (p. 308, 15).

CHAPITRE VI

L'ÉCOLE D'ANTIOCHE

1. Voir J. Forget, « *Jérôme (Saint)* », *Dictionnaire de Théologie catholique*, VIII, I (Paris, 1924), 962 ; A. Vaccari, « *I fattori della esegesi geronimiana* », *Biblica* I (1920), 457 sq.
2. C. H. Kraeling, « *The Jewish Community of Antioch* », *Journal of Biblical Literature* 51 (1932), 130 sq. ; A. Marmorstein dans *The Expositor*, Eighth Series, 17 (1919), 104 sq. ; Eusebe, *H.E.* VII, 32, 2.
3. H. B. Swete, *Theodori Episcopi Mopsuesteni in epistolas B. Pauli Commentarii* (Cambridge, 1880), I, 74 sq.
4. J. M. Vosté, « L'œuvre exégétique de Théodore de Mopsueste au 2ᵉ Concile de Constantinople », *Revue biblique* 38 (1929), 544 sq.
5. Mais cf. R. Devreesse, *Le commentaire de Théodore de Mopsueste sur les Psaumes* (Rome, 1939), XXIX.
6. Vosté, *op. cit.*, 547.
7. A. Vaccari, « La θεωρία nella scuola esegetica di Antiocha », *Biblica* I (1920), 14.
8. *In Isa.* V, Migne, PG 56, 60.
9. A. Vaccari, *op. cit.* (n. 7), 1 sq. ; L. Pirot, *L'œuvre exégétique de Théodore de Mopsueste* (Rome, 1913), 177 sq.
10. Vosté, *op. cit.*, 542 sq. ; Pirot, *op. cit.*, 235 sq ; Devreesse, *op. cit.*, 120 sq.
11. L. Dennefeld, *Der alttestamentliche Kanon der antiochenischen Schule* (Freiburg, 1909), 44 sq.
12. Vosté, *op. cit.*, 394 sq.
13. H. Kihn, *Theodor von Mopsuestia und Junilius Africanus als Exegeten* (Freiburg, 1880), 75 sq.
14. Vosté, *op. cit.*, 388 sq.
15. *In Epist. ad Gal. comm.*, Migne, PG 61, 662.
16. *In Epist. ad Phil. hom.* 10, Migne, PG 62, 257 ; cf. Héb. 10, 1 ; Melito, *Homily on the Passion* 36-38 (pp. 107 sq. Bonner).
17. K. K. Hulley, « *Principles of Textual Criticism Known to St Jerome* », *Harvard Studies in classical Philosophy* 55 (1944), 87 sq.
18. Augustin, *Ep.* 71, CSEL 34, 248 sq. ; Pirot, *op. cit.*, 102.
19. Voir Vaccari, *op. cit.* (n. 1).
20. F. Goessling, Adrian εἰσαγωγὴ εἰς τὰς θείας γραφάς (Berlin, 1887), 13.
21. *Ibid.*, 130 sq.

22. Kihn, *op. cit.*, 213 sq.; cf. T. Hermann, « *Die Schule von Nisibis vom 5. bis 7. Jahrhundert* », *Zeitschrift für die Neutestamentliche Wissenschaft* 25 (1926), 89 sq.

23. M. L. W. Laistner, « *Antiochene Exegesis in Western Europe during the Middle Ages* », *Harvard Theological Review* 40 (1947), 19 sq.

24. Pirot, *op. cit.*, 121 sq.; Junilius, I, 3 sq.

CHAPITRE VII

LA BIBLE ET L'AUTORITÉ DE L'ÉGLISE

1. N. Bonwetsch, *Die Theologie des Methodius von Olympus* (Göttingen, 1903), 147.

2. Tertullien, *De praesc.* 15 ; cf. « *The Bible in the Ancient Church* », *Journal of Religion* 26 (1946), 190 sq.

3. *Praescr.* 19.

4. *Inst. orat.*, VII, 5 ; J. L. Allie, *L'argument de prescription dans le droit romain, en apologétique et en théologie dogmatique* (Ottawa, 1940), 49.

5. *La théologie de Tertullien* (Paris, 1905), 247 ; Zimmermann, *Die hermeneutischen Prinzipien Tertullians* (Würtzburg, 1937), 11.

6. C. Mondésert, *Clément d'Alexandrie* (Paris, 1944), 148 sq.

7. Methodius, *Sympos.* VII, 7 (p. 89, 3 Bonwetsch).

8. *De lepra*, 13, 2 (p. 467, 23).

9. Bonwetsch, *op. cit.*, 143 sq.

10. Augustin, *Confessions*, III, 7 (12).

11. *Ibid.*, V. 11 (21).

12. P. de Labriolle, « Saint Ambroise et l'exégèse allégorique », *Annales de philos. chrét.* 155 (1908), 591 sq.

13. *Conf.*, VI, 4 (6).

14. *De doctr. christ.*, I. 36 (40).

15. *Ibid.*, III, 2. En III, 5, il l'appelle la *praescriptio fidei*.

16. *Ibid.*, Prol. 2.

17. Vincent, *Common.*, II (2), p. 3, 17 Jülicher.

18. *Ibid.*, IV, p. 4 sq.

19. *Ibid.*, X (15), p. 13 sq.

20. *Ibid.*, XVII sq. p. 25 sq.

21. *Ibid.*, XXI (26), p. 31, 30. Vincent se sert d'une version latine.

22. *Ibid.*, XXIII (30), p. 35, 23.

23. *Ibid.*, XXV sq, p. 39 sq.

24. A. Jülicher, *Vincenz von Lerinum* (2° éd. Tübingen, 1925), X sq.

25. Vincent, *Common.*, XVIII (24), p. 28, 29.

26. Allie, *op. cit.*, 122, n. 4.

27. Vincent, *Common.*, VI (9), p. 8, 19.

28. Migne, PL. 210, 245.

29. E. Mangenot-J. Rivière, « Interprétation de l'Écriture », *Dictionnaire de Théologie catholique*, VII (Paris, 1923), 2294 sq. 2321.

CHAPITRE VIII

LA BIBLE AU MOYEN AGE

1. Vincent de Lérins, *Common.*, II (2), p. 3 Jülicher. Sur les chaînes voir G. Heinrici, « *Catenae* », *New Schaff-Herzog Encyclopedia* II, 451 sq ; R. Devreesse, « *Chaînes exégétiques grecques* », *Dictionnaire de la Bible, Suppl.* I (Paris, 1928).

2. B. Smalley, *The Study of the Bible in the Middle Ages* (Oxford, 1941), 31 sq., 156 sq.

3. Cassiodore, *Institutiones* I, 10, I, p. 34 Mynors.

4. R. A. B. Mynors, *Cassiodori Senatoris Institutiones* (Oxford, 1937), XXII.

5. Sur la diffusion de l'œuvre de Junilius Africanus, voir M. L. W. Laistner cité c. VII, note 23.

6. L. Gensberg, *Die Haggada bei den Kirchenväter* (Berlin, 1900) ; S. Kraus dans *Jewish Encyclopedia* IV, 80 sq., VII, 115 sq.

7. Smalley, *op. cit.*, 86 sq.

8. *Ibid.*, 105.

9. *Ibid.*, 134.

10. E. Mangenot, « *Almah* », *Dictionnaire de la Bible* I (Paris, 1891), 394 sq.

11. E. V. Dobschütz, « *Vom vierfachen Schriftsinn* », *Harnack-Ehrung* (Leipzig, 1921), 1 sq ; H. Caplan, « *The Four senses of Scriptural Interpretation* », *Speculum* 4 (1929), 282 sq.

12. Von Dobschütz, *op. cit.*, 3.

13. Smalley, *op. cit.*, 218.

14. Voir D. L. Douie, *The Nature and the Effects of the Heresy of the Fraticelli* (Manchester, 1932), 22 sq.

15. Smalley, *op. cit.*, 217.

16. *Summa theologica*, pars I, qu. 1, art. 8. Voir E. Gilson, *Reason and Revelation in the Middle Ages* (New York, 1938).

17. *S. T.* I. 1. 9.

18. *S. T.* I. 1. 10 ; voir aussi *Quodl.* VII, a. 14-16 ; P. Synave, « La doctrine de saint Thomas d'Aquin sur le sens littéral des Écritures », *Revue biblique* 35 (1926), 40 sq. ; autres références dans V. J. Bourke, *Thomistic Bibliography*, 1920-1940 (Saint-Louis, 1945), 244 sq.

19. Voir J. M. Heald, « *Aquinas* », *Encyclopedia of Religion and Ethics*, I, 659.

CHAPITRE IX

LA BIBLE ET LA RÉFORME

1. Edition de Weimar, II, 279 ; cité par Mackinnon, *Luther and the Reformation* IV (Londres - New York, 1930), 296.
2. Voir M. Reu, *Luther's German Bible* (Colombus, 1934).
3. *Tischreden*, édition de Weimar, I, 36 ; cité par K. Holl, « *Luthers Bedeutung für den Fortschritt der Auslegungskunst* », *Gesammelte Aufsätze zur Kirchengeschichte* I (Tübingen, 1921), 420.
4. Edition d'Erlangen, XLVI, 338 sq. ; cité par K. Fullerton, « *Luther's Doctrine and Criticism of Scripture* », *Bibliotheca Sacra* 63 (1906), 8.
5. Edition de Weimar, V, 108 ; Mackinnon, *op. cit.*, IV, 293.
6. Holl, *op. cit.*, 445.
7. Fullerton, *op. cit.*, 16.
8. *Ibid.*, 12.
9. *Exposition of the 37th (36th) Psalm* ; Mackinnon, *op. cit.*, 294 sq.
10. Fullerton, *op. cit.*, 18.
11. *Inst.* III, IV, 5. Sur l'exégèse de Calvin, voir J. Mackinnon, *Calvin and the Reformation* (New York, 1936), 220 sq.
12. *Inst.* I, VII. Ces citations sont tirées des chapitres VII et VIII.
13. Fullerton, *Prophecy and Authority* (New York, 1919), 150 sq.
14. *Tischreden*, I, 108 ; Mackinnon, *Luther*, IV, 284.
15. Fullerton, *op. cit.* (n. 13), 165 sq. ; cf. M. Reu, *Luther and the Scriptures* (Colombus, 1944), 117 sq.
16. Livre II, hom. 10.
17. S. E. Johnson, « *The Episcopal Church and the Bible* », *Anglican Theological Review* 24 (1942), 310 sq. Noter le littéralisme de Martin Bucer : A Lang, *Der Evangelienkommentar Martin Butzers* (Leipzig, 1900), 35 sq. ; S. Brown-Serman, dans A.C. Zabriskie, *Anglican Evangelicalism* (Philadelphie, 1943), 80 sq.
18. Voir E. Cailliet, *The Clue to Pascal* (Philadelphie, 1943), 67.
19. *Pensées*, fragm. 278 Brunschwicg : H. F. Stewart, *Pascal's Apology for Religion* (Cambridge, 1942), 190, fragm. 608.
20. Fragm. 578 Br., 497 Stewart (p. 158).
21. Fragm. 684 Br., 503 Stewart (p. 160).
22. Cailliet, *op. cit.*, 154 sq.
23. H. T. Kerr, Jr., *A Compend of Luther's Theology* (Philadelphie, 1943), 14 ; éd. de Weimar, XVIII, 1588.
24. *Ibid.*, 17 ; Ed. Weimar, VI, 509.
25. Lehmann, « *The Reformers'Use of the Bible* », *Theologie Today* 3 (1946) 328 sq.

CHAPITRE X

L'ESSOR DU RATIONALISME

1. J. A. Froude, *Life and Letters of Erasmus* (New York, 1894), 141.
2. *Ibid.*, 48.
3. J. H. Lupton, *Life of Dean Colet* (Londres, 1887), 106.
4. J. M. Robertson, *A short History of Free Thought II* (Londres, 1915), 5 sq.
5. Voir Mackinnon, *The Origins of the Reformation* (Londres, 1939), 359 sq.
6. E. W. Farrar, *History of Interpretation* (Londres, 1886), 373 sq. Noter cependant que l'expression « plume de l'Esprit-Saint » vient de saint Augustin (*Conf.*, VII, 21 (27), CSEL 33, 166.
7. *Ecclesiastical Polity* II. 8. I ; voir P. E. More-F. L. Cross, *Anglicanism* (Milewaukee, 1935), 89 sq. ; à comparer avec l'attitude du Presbytérien John Owen (J. C. Dana, *John Owen's Conception and Use of the Bible* [Presbyterian Theological Seminary B. D. Thesis, 1941]. Je dois ce rapprochement au Professeur G. E. Wright.
8. J. M. Robertson, *op. cit.*, 35, 95, 133.
9. H. Margival, *Essai sur Richard Simon et la critique biblique au* XVIIe *siècle* (Paris, 1900).
10. Robertson, *op. cit.*, 116 ; cf. Luc 18, 8.

CHAPITRE XI

XIXe SIÈCLE

1. Voir « *Historical Criticism in the Ancient Church* », *Journal of Religion* 25 (1945), 183 sq. J. Geffcken, « *Zur Entstehung und zum Wesen des griechischen wissenschaftlichen Kommentars* », *Hermès* 67 (1932), 397-412.
2. H. F. Huston, « *Some Factors in the Rise of Scientific New-Testament Criticism* », *Journal of Religion* 22 (1942), 89 sq.
3. J. Wach, *Das Verstehem. Grundzüge einer Geschichte der hermeneutischen Theorie im 19. Jahrhundert* I (Tübingen, 1926), 121 sq.
4. F. Lichtenberger, *History of German Theology in the Nineteenth Century* (trad. angl. Edimbourg, 1889), 116, 137.
5. En particulier son analyse des Épîtres à Timothée.
6. Lichtenberger, *op. cit.*, 18 sq.
7. C. C. McCown, *The Search for the Real Jesus* (New York, 1940), 87 sq ; A. Schweitzer, *Von Reimarus zu Wrede* (Tübingen, 1906) lui ac-

corde trop peu d'attention. Voir les articles publiés dans les diverses revues par le Dr. Mary Andrews.

8. Dire comme le fait McCown (*op. cit.*, 48) que cette exégèse ouvre la porte à un obscurantisme dogmatique, c'est ne pas tenir compte du dogmatisme de Baur et Strauss.

9. E. C. Vanderlaan, *Protestant Modernism in Holland* (Londres, 1924).

10. *Ibid.*, 31 sq.

11. *Ibid.*, 99 sq.

12. E. Renan, *Souvenirs d'enfance et de jeunesse* (Nelson, Paris, 1938), 224 sq.

13. McCown, *op. cit.*, 73.

14. C. R. Sanders, *Coleridge and the Broad Church Movement* (Duke, 1942), 51.

15. *Table Talk of Samuel Taylor Coleridge* (Ed. Morley, Londres, 1884), 37 sq. (6 janvier 1823).

16. *Ibid.*, 69 (17 avril 1830).

17. *Ibid.*, 147 (31 mars 1842).

18. *Ibid.*, 212 (15 juin 1833).

19. Sanders, *op. cit.*, 98.

20. *Ibid.*, 258 ; voir J. S. Marshall, « *Philosophy Through Exegesis* », *Anglican Theological Review* 26 (1944), 204 sq.

21. Voir H. P. Smith, *Essays in Biblical Interpretation* (Boston, 1921), 128 sq. On doit aussi rappeler le procès intenté en Ecosse à W. Robertson Smith.

22. *God and the Bible* (New York, 1903), 39 sq.

23. L. Trilling, *Matthew Arnold* (New York, 1939), 332 sq.

24. Par exemple Keble dans *Tracts for the Times,* n° 89, et Newman, n° 90.

25. Voir à leur sujet les articles de W. F. Albright dans le *Dictionary of American Biography* 18, 174 sq. et 16, 39 sq. Je dois ces références au professeur G. E. Wright.

26. Coppens, *The Old Testament and the Critics* (trad. angl. Paterson, N. J., 1942, de *L'Histoire critique de l'Ancien Testament : Ses origines, ses orientations nouvelles, ses perspectives d'avenir,* Paris-Tournai 1938, p. 30 sq). Cf. J. Wellhausen, *Prolegomena to the History of Israël* (trad. angl. Edimbourg, s. d.) ; W. F. Albright, *From the Stone Age to Christianity* (Baltimore, 1940), 52 sq., 244. Dans son importante *Introduction à l'Ancien Testament,* R. H. Pfeiffer défend un point de vue légèrement différent de celui de Wellhausen (New York, 1941).

27. *What Is Christianity ?* (Trad. angl. Londres, 1901), 51.

28. *Ibid.*, 13 sq.

29. *Ibid.*, 278.

30. « Le Christ tel que l'aperçoit Harnack, plongeant son regard à travers dix-neuf siècles d'obscurantisme catholique, n'est que l'image d'un protestant libéral qui contemple son visage reflété au fond d'un puits. » (G. Tyrrell, *Christianity at the Cross-Roads* [Londres, 1909], 44.)

CHAPITRE XII

LE MODERNISME CATHOLIQUE

1. E. Renan, *Souvenirs d'enfance et de jeunesse* (Nelson, Paris, 1938), 133.
2. *Ibid.*, 158.
3. *Ibid.*, 213 ; cf. W. M. Macgregor, *Persons and Ideals* (Edimbourg, 1939), 92 sq.
4. Vidler, *The Modernist Movement in the Roman Church* (Cambridge, 1934), 60 sq.
5. Voir Houtin, *La question biblique chez les catholiques de France au* XIX° *siècle* (Paris, 1902).
6. *L'Évangile et l'Église* (5°-6° éd. Paris, 1930), XXI.
7. *Ibid.*, 209-210.
8. A. Loisy, *Mémoires pour servir à l'histoire religieuse de notre temps*, I, Paris 1930, 178, cit. par M. D. Petre, *Alfred Loisy* (Cambridge, 1944), 17.
9. Voir Vidler, *op. cit.*, 217 sq.
10. Voir H. R. Niebuhr, *The Meaning of Revelation* (New York, 1941).
11. J. Coppens, *The Old Testament and the Critics* (Paterson, New York, 1942), 139 sq.
12. Voir Vidler, *op. cit.*, 217 sq.
13. *Vivre et penser* 3 (1943-44), 7.

CHAPITRE XIII

L'EXÉGÈSE PROTESTANTE MODERNE

1. A. Schweitzer, *Out of My Life and Thought* (trad. angl. New York, 1933), 16.
2. H. J. Ebeling, *Das Messiahsgeheimnis und die Botschaft des Marcus-Evangelisten* (Berlin, 1939).
3. E. Schwartz, *Fünf Vorträge über den griechischen Roman* (Berlin, 1896), 7 sq.
4. J. Coppens, *The Old Testament and the Critics* (Paterson, New York, 1932), 50 sq. Cf. G. E. Wright, « *Neo-Orthodoxy and the Bible* », *Journal of Bible and Religion* 14 (1946), 87 sq ; « *Interpreting the Old Testament* », *Theology Today* 3 (1946), 176 sq ; « *Biblical Archaeology today* »,
The Biblical Archaeologist 10 (1947), 7 sq.
5. L. Salvatorelli, « From Locke to Reitzenstein », *Harvard Theological*

Review 22 (1929), 263 sq ; voir A. D. Nock, *Conversion* (Oxford, 1933) ; *St Paul* (Londres, 1938).

6. H. J. Cadbury, *The Peril of Modernizing Jesus* (New York, 1937) ; Ebeling, *op. cit.*, 95 sq., 220 sq. ; Dibelius, *Gospel Criticism and Christology*, (Londres, 1935) ; F. C. Grant, *Frontiers of Christian Thinking* (Chicago, 1935). 37 sq.

7. La méthode a été appliquée à la littérature épistolaire du Nouveau Testament par P. Carrington, *The Primitive Christian Catechism* (Cambridge, 1940) ; cf. E. G. Selwyn, *The first Epistle of St Peter* (Londres, 1946), 363 sq.

8. *Zeitschrift für Theologie und Kirche*, 54 (1957), 279-80.

9. *Parole de Dieu et Parole Humaine*, trad. française de P. Maury et A. Lavanchy, Paris, 1933; *The Doctrine of the Word of God* (New York, 1936), 9 sq.

10. *Parole de Dieu et Parole Humaine*, p. 98.

11. *Ibid.*, p. 109.

CHAPITRE XIV

L'INTERPRÉTATION DE LA BIBLE

1. « *Le problème de l'herméneutique* » *dans L'Interprétation du Nouveau Testament*, trad. O. Laffoucrière, Paris, 1955, p. 68.

Nous avons reproduit aussi fidèlement que possible les notes de l'édition américaine, en vertu du principe que le lecteur doit pouvoir connaître quels sont les matériaux mis en œuvre par l'auteur. Nous avons revu sur l'original. les textes cités en traduction anglaise par Robert M. Grant, quitte à utiliser les traductions françaises existantes.

Par contre, nous avons substitué à la « Select English Bibliography » du Professeur Grant, et avec l'accord de celui-ci, un choix de livres plus directement utilisables par le lecteur français ; nous devons cette bibliographie à la compétence et à l'amitié d'Annie Jaubert, maître de Recherches au Centre national de la Recherche scientifique.

BIBLIOGRAPHIE

I. OUVRAGES GÉNÉRAUX.

Textes et commentaires :

Bible du Centenaire (*Ancien Testament,* A. Lods), 3 volumes, Société Biblique de Paris, 1941-47. — (*Nouveau Testament,* M. Goguel), 1 volume, 1928.

Bible de la Pléiade (E. Dhorme), *Ancien Testament,* 2 volumes, Gallimard, 1956-59.

Bible de Jérusalem. Fascicules séparés, Le Cerf, 1950 et suivantes.

P. BENOIT et M. E. BOISMARD, *Synopse des Evangiles ;* t. I, Le Cerf, 1965.

Introductions :

G. AUZOU, *La Tradition biblique,* L'Orante. 1962.

Dictionnaire encyclopédique de la Bible, Brépols, 1960.

Interprétation (historique de l'), *Supplément au Dictionnaire de la Bible* (= *SDB*), IV, col. 561 sq. Letouzey, 1949.

A. ROBERT et A. FEUILLET, *Introduction à la Bible.* 2 vol. Desclée et Cie, 1959.

A. LODS, *Histoire de la littérature hébraïque et juive,* Payot, 1950.

Vocabulaire biblique, Delachaux-Niestlé, 3ᵉ éd., 1964.

Vocabulaire de théologie biblique, Le Cerf, 1964.

II. INTERPRÉTATION ANCIENNE DE L'ÉCRITURE, JUIVE ET CHRÉTIENNE.

G. BARDY, art. Marcion, *SDB* V, 1957.

R. BLOCH, article Midrash, *SDB* V, 1957.

BIBLIOGRAPHIE

H. CAZELLES, R. BLOCH, VERMÈS, etc., *Moïse, l'homme de l'alliance*. Desclée et Cie, 1955.

J. DANIÉLOU, *Bible et Liturgie* (Lex Orandi II), Le Cerf, 1951 ; *Origène* La Table Ronde, 1948 ; *Philon d'Alexandrie*, Fayard, 1957 ; *Sacramentus Futuri*, Études sur les origines de la typologie biblique (Beauchesne, 1950).

R. LE DÉAUT, *La Nuit pascale*, Rome, 1963.

H. DE LUBAC, *Histoire et Esprit, l'intelligence de l'Écriture d'après Origène* (Aubier, 1950).

P. LUNDBERG, *La Typologie baptismale dans l'ancienne Eglise*, Leipzig-Upsala, 1942.

H. RIESENFELD, *Jésus transfiguré*, Upsala, 1947.

ORIGÈNE, *Homélies sur la Genèse* (Sources chrétiennes 7), Le Cerf, 1943 ; *Homélies sur Josué* (Sources chrétiennes 71), Le Cerf, 1960.

III. INTERPRÉTATION MÉDIÉVALE.

C. SPICQ, *Esquisse d'une histoire de l'exégèse latine au Moyen Age* (Bibliothèque Thomiste, 26), Vrin, 1944.

H. DE LUBAC, *Exégèse médiévale, les quatre sens de l'Ecriture*, 4 volumes (Théologie 41, 42, 59), Aubier, 1959-64.

IV. RÉFORME.

G. H. TAVARD. *Écriture ou Église ? La crise de la Réforme*, traduction de *Holy Writ, Holy Church, the Crisis of the Protestant Reformation* (Unam Sanctam 42), Le Cerf, 1963.

V. INTERPRÉTATION MODERNE ET CONTEMPORAINE.

W. F. ALBRIGHT, *De l'âge de pierre à la chrétienté*, Payot, 1951.

G. AUZOU, *La Parole de Dieu*, Orante, 1960.

P. BARTHEL, *Interprétation du langage mythique et théologie biblique*, Leiden, 1963.

P. BENOIT, *Exégèse et théologie*, 2 vol., Le Cerf, 1961.

BIBLIOGRAPHIE

BOISSET, GOGUEL, JACOB, EICHRODT, etc., *Le Problème biblique dans le Protestantisme*, P.U.F., 1955.

L. BOUYER, *La Bible et l'Évangile*, Le Cerf, 1951 (rééd. « Livre de Vie », 1965).

R. BULTMANN, *L'Interprétation du Nouveau Testament*, Aubier, 1955.

C. CHARLIER, *La Lecture chrétienne de la Bible*, Maredsous, 1957 (rééd. « Livre de Vie », 1965).

O. CULLMANN, *Christologie du Nouveau Testament*, Delachaux et Niestlé, 1958.

S. DE DIÉTRICH, *Le Dessein de Dieu*, Delachaux et Niestlé, 1954.

CH. DODD, *La Bible aujourd'hui* (trad. de *The Bible Today*), Casterman, 1957 ; *La Prédication apostolique*, Éditions Universitaires, 1964.

J. DUPONT, *Les Béatitudes, le problème littéraire, le message doctrinal*, Louvain-Bruges, 1954.

M. GOGUEL, *Jésus*, 2ᵉ édition, 1950.

P. GRELOT, *La Bible, parole de Dieu*, Desclée, 1965 (p. 181-230 : histoire de l'herméneutique).

P. HAZARD, *La Crise de la conscience européenne* (1680-1715), 2 vol., Paris, 1934.

HOSKYNS-DAVEY, *L'Énigme du Nouveau Testament*, Neuchâtel-Paris, 1949.

X. LÉON-DUFOUR, *Les Évangiles et l'histoire de Jésus*, Le Seuil, 1963.

A. LOISY, *L'Évangile et l'Église*, Paris, 1902, 1903, 1908.

R. MARLÉ, *Bultmann et l'interprétation du Nouveau Testament*, Paris, 1956, édit. Montaigne ; *Le Problème théologique de l'herméneutique*, Orante, 1963.

J. STEINMANN, *Richard Simon et les origines de l'exégèse biblique*, Desclée de Brouwer, 1960.

Il faut regretter que le grand livre du Dr Albert Schweitzer, *Von Reimarus zu Wrede* (1906), (5ᵉ)-2ᵉ édition sous le titre *Geschichte der Leben-Jesu-Forschung*, Tübingen, 1951, n'ait pas été traduit en français ; il existe une traduction anglaise : *The Quest of the historical Jesus*, 3ᵉ édition, Londres, 1954.

TABLE

IMP. AUBIN A LIGUGÉ (VIENNE). D. L. 1er TR. 1967. N° 1940 (4164).